Zeshu Takamura

THE USE OF MARKERS IN

FASHION ILLUSTRATIONS

MODEZEICHNEN MIT MARKERN

INHALTSVERZEICHNIS

CONTENTS

EINFÜHRUNG

Ganz einfach ausgedrückt ist eine Modezeichnung die Skizze einer Person, die Kleider trägt. In großem Rahmen könnte man sie dem Sektor Bekleidungsindustrie sowie dem Werbungs- und Zeitschriftenbereich zuordnen, wobei die dahinterstehende Absicht weitestgehend vom Medium abhängig ist.

Der Modedesigner greift das vorgeschlagene Konzept auf. Er fertigt eine Zeichnung der in seinem Kopf entworfenen Kleidung an. Nach dem eigentlichen Entwurf dient dieser Arbeitsgang dazu, mit Mustern und vielerlei anderen Hilfsmitteln ein reales dreidimensionales Abbild des Entwurfs zu schaffen, das dann in den Laden geliefert wird. Anders gesagt dient eine Modezeichnung in der Bekleidungsindustrie dazu, einem Dritten genau zu zeigen, wie das Kleidungsstück aussehen soll.

Modezeichnungen werden allerdings auf der anderen Seite auch als eigenständiges Medium in den Bereichen Werbung und Zeitschriften eingesetzt. In Zeitschriften werden Modezeichnungen als bildliche Darstellung dessen benutzt, was der Text nicht ausdrücken kann. Und in der Werbung dienen Modezeichnungen allgemein als Werbemittel für das Produkt und erscheinen auf Postern und in Broschüren, wobei die Hauptbedeutung in der vorteilhaften Darstellung eines Menschen liegt. Dies ist nicht auf Bekleidung beschränkt, sondern gilt auch in anderer Hinsicht, je nach Vorstellung des Kunden.

Man kann sagen, daß bei Erstellung einer Modezeichnung der "Marker" heute das wichtigste Werkzeug ist.

Das Charakteristische am Marker liegt darin, daß er nicht so umständlich wie Farbe zu handhaben ist und jeder ihn problemlos verwenden kann. Darüberhinaus ist die Farbgebung ideal, man kann mehrere Markerfarben auf dem Papier mischen. Noch mehr Ausdrucksmöglichkeiten bietet das Material, wenn man es zusammen mit Wasserfarben verwendet.

Sie sehen also, daß es sich hier um ein sehr bequemes Zeichenmittel handelt. Mir wird jedoch immer wieder vorgehalten, daß "es sehr schwer zu benutzen ist, wenn man nicht über genügend Erfahrung verfügt" und daß "es keinerlei ausführliche schriftliche Anleitung gibt, wenn der Benutzer sich die nötigen Fähigkeiten aneignen will". Als Lösung für dieses Problem haben wir vorliegendes Buch konzipiert.

Das Buch kann jeder zu Rate ziehen, der Interesse an Modezeichnungen hat, sei er nun Amateur oder professioneller Designer. Das Themenangebot ist breit gefächert, angefangen von Grundlagen wie Übungen zu den menschlichen Proportionen bis hin zu anspruchsvollen Methoden, wie mit dem Marker wirkungsvoll die verwendeten Materialien dargestellt werden können. Das vorliegende Buch wurde besonders als Schulungsunterlage konzipiert.

Und nun, auf ans Werk!

INTRODUCTION

Simply put, fashion illustration refers to a sketch of a person wearing clothes. It can largely be categorized into use for the apparel industry and advertisements and magazine industries, with the purpose largely varying according to the medium.

The fashion designer grasps the concept suggested by the merchandiser to express the image of the wear created in the his/her head based on the information given, in the form a design illustration (fashion illustration). After creation of the design this piece of work handled by patterns and various other staff to create a three dimentional actual existence of that design to be put in the shop. In other words, fashion illustration in the apparel industry, is used to precisely relate the apparel design to a third person.

On the other hand, fashion illustration is grasped as a piece of work in itself in the advertisement and magazine industry. In magazines fashion illustrations are used as a picture to supplement for the lack in the copywriting. And in the advertisement industry, fashion illustrations are generally used as product promotional tool appearing in posters and pamphlets, in which the importance is placed on how afflument a human being can be illustrated, not only in terms of clothes but in various other aspects as well, according to the client's concept.

Upon creating such fashion illustrations, the major creation tool currently used can be said to be the "marker".

The characteristic of the marker is that is does not require tedious procedures such as paint, and can easily be used by anybody. What's more the coloring is ideal, while allowing for mixing of various marker colors on paper. Combined use with water color further promotes the expressions of the material itself.

As you can see, this is a highly convenient marker. However, the response I usually hear is that "it is quite difficult to use if the characteristics of the marker is not sufficiently grasped" and that "there are no detailed explanations in manuals even if the use wanted to master the skills". We have published this book in answer to such needs.

This book can be used by everybody who is interested in fashion illustration, ranging from amateurs to professional designers. The contents includes a wide range of information from basic items such as training on human proportions, to high level methods used to effectively express materials using markers. The information has been ideally edited to also serve as a reference book for students.

Now let's try it.

First published in 1991 in Japan as
"THE USE OF MARKERS IN FASHION ILLUSTRATIONS"
by Graphic-sha Publishing Co., Ltd. ©

Zeshu Takamura ©

German-English edition first pulished in 1992 by
Nippon Shuppan Hanbai Deutschland GmbH ©

Distributed in Europe, Africa and Middle East by:
NIPPAN
Nippon Shuppan Hanbai Deutschland GmbH,
Krefelder Straße 85, 40549 Düsseldorf, Germany
Tel.: (0211) 504 80 80, Fax: (0211) 504 93 26

Die Deutsche Bibliothek - CIP - Einheitsaufnahme

Takamura, Zeshu:
The use of markers in fashion illustrations
Modezeichnen mit Markern
by Zeshu Takamura.
Düsseldorf: Nippon Shuppan Hanbai Deutschland GmbH, 1992
ISBN 3-910052-04-5

4th edition 1998
Printed in Japan by Kinmei Printing Co., Ltd.

Kapitel 1 · DER KÖRPER

Chapter 1 · THE BODY

[1] Das Zeichnen von korrekten Proportionen
Illustrating Correct Human Proportions

Für die Erstellung von Modezeichnungen ist es zunächst einmal wichtig, den menschlichen Körper zeichnen zu können. Stellen Sie sich vor, Sie haben eine exzellente Idee für einen Entwurf. Selbst wenn Sie versuchen sollten, die Idee mittels einer Modezeichnung zu beschreiben: ist die Figur, die die Kleidung trägt, schlecht gezeichnet, zieht dies auch den Entwurf selbst in Mitleidenschaft, und das Bild kann während des Zeichenvorgangs nicht weiterentwickelt werden. Daher ist es wichtig, den menschlichen Körper zeichnen zu lernen, der die Basis für alle Modezeichnungen darstellt.

Grundlegend ist zu bedenken, daß der Mensch im Gegensatz zu Tieren wie Vögeln oder Hunden bezüglich der Größe nur sehr geringe Unterschiede aufweist. Eine Bulldogge und ein Dobermannpinscher sind offensichtlich verschieden. Menschen sind jedoch im Grunde gleich, sieht man einmal von Hautfarbe und Knochenstruktur des Gesichts ab. In anderen Worten, es ist bei Beachtung einfacher Richtlinien möglich, menschliche Körper zu zeichnen. Und wenn Sie diese Richtlinien beherrschen, können Sie sich bis zu einem gewissen Umfang eine Methode zur zeichnerischen Abbildung des menschlichen Körpers aneignen.

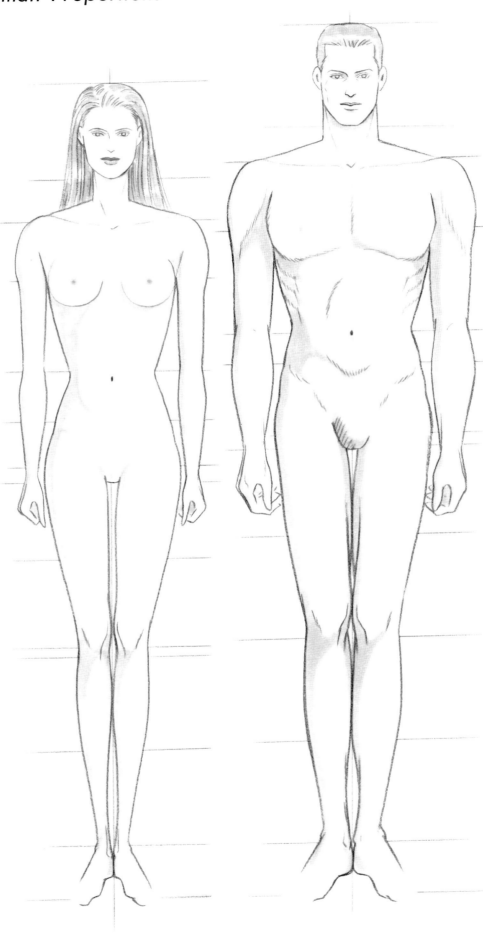

In order to draw fashion illustrations it is first necessary to be able to draw the human body. Imagine that you have an excellent design in mind. Even if you try to describe the idea through a fashion illustration, if the figure wearing the clothes is not drawn well, the design itself dies, and it is not possible to expand the image while drawing it. For this reason, it is necessary to learn to draw the human body, the basis of fashion illustrations.

The most important fact to remember is that, unlike other animals such as birds and dogs, human bodies differ in size very little. For example, a bulldog and Doberman pinscher are obviously different. However, other than skin color and facial bone structure, all humans are basically the same. In other words, it is possible to draw human bodies using this simple rule. And if you are able to learn that rule, you will be able to grasp the method of drawing human bodies to a certain extent.

● Größenverhältnisse beim menschlichen Körper

Bitte denken Sie daran, daß bei den in Modezeichnungen verwendeten menschlichen Körpern Männer mindestens 185 cm und Frauen mindestens 175 cm groß sein sollten. Die Figur sollte auch 8 1/2-Köpfe groß sein. Bei der zeichnerischen Darstellung von menschlichen Körpern wird die Größe in der Einheit "Köpfe" angegeben. Die Größe "ein Kopf" entspräche also der Länge eines Kopfes.

Unter Beachtung einiger Richtlinien wollen wir nun mit dem Zeichnen von Figuren beginnen. Da Modezeichnungen meistens auf Papier der Größe B-4 erstellt werden, werden wir uns auch mit den Gelegenheiten auseinandersetzen, bei denen diese spezielle Papiergröße verwendet wird.

Bereitlegen: Skizzenbuch oder drei Bögen Pauspapier, zwei oder mehr Büroklammern.

(1) Die Größe des menschlichen Körpers liegt bei ungefähr 8 1/2 Köpfen.
Männer 34 cm (ein Kopf = 4 cm)
Frauen 32 cm (ein Kopf = 3,7 cm)
(2) Die breiteste Stelle beträgt zwei Köpfe. (Männer sind auf jeder Seite 6 mm breiter).
(3) Die Brustspitze liegt bei **6** (ein Kopf zwischen den Brustwarzen, bei Frauen etwas weniger).
(4) Siehe **5** für Taille und Nabel bei Männern. Bei Frauen liegt der Nabel etwas tiefer. Der Ellenbogen sollte ebenfalls bei 5 liegen.
(5) **4** ist der Schritt (für Frauen etwas tiefer). Die Handgelenke liegen auch bei **4** (für Männer etwas tiefer).
(6) Die Knie liegen bei **2** (für Frauen etwas tiefer).
(7) Die Fußgelenke befinden sich bei **0**.

● Balance of the Human Body

For human bodies used in fashion illustrations, remember that men should be at least 185cm, and women 175cm. It should also be a figure of 8 1/2-head height. When drawing human figures, the height is described in terms of "heads." A one-head height, therefore, would be the length of one head.

With several rules in mind, let us begin actually drawing some figures. Since fashion illustrations are most often drawn on B4-size paper, we will also discuss cases using this particular size.

Things to Prepare : Sketch book or three sheets of tracing paper, about two paper clips.

(1) The human body's barance is about 8 1/2 heads.
Men 34cm (one head = 4cm)
Women 32cm (one head = 3.7cm)
(2) The widest spot is two heads. (Men are 6mm wider on each side).
(3) Bust point is ⑥. (One head between the nipples. Slightly less for women).
(4) See ⑤ for the waist and a man's navel. A woman's navel is slightly lower. The elbow should also be at ⑤.
(5) The crotch is ④ (slightly lower for women). Wrists are also ④ (slightly lower for men).
(6) Knees are at ② (slightly lower for women).
(7) The ankles are positioned at ①.

Refer to the sketch below. When the above rules are employed they result in such frames. A standing human should completely fit into such a frame.

Beachten Sie nachstehende Skizze. Die vorstehenden Richtlinien führen zu derartigen Rahmen. Ein stehender Mensch sollte ganz in den Rahmen hineinpassen.

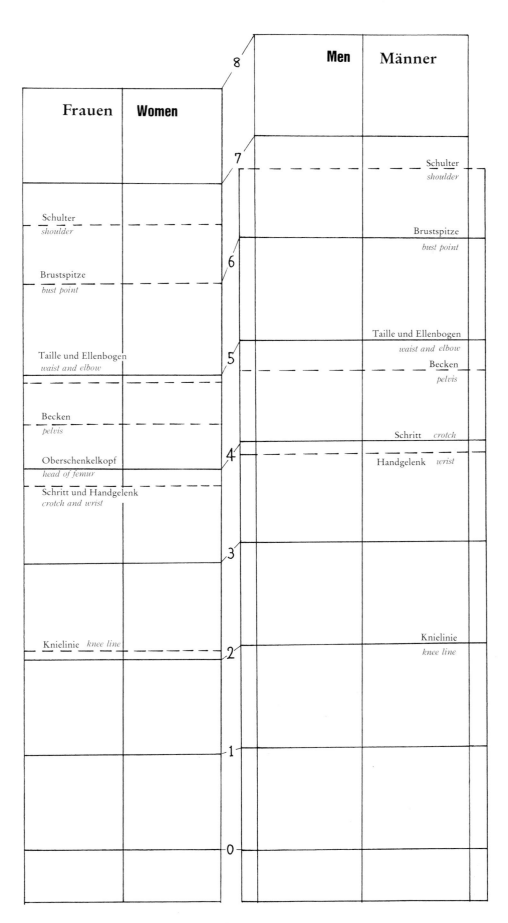

● Knochenstruktur

Auch wenn Sie jetzt wahrscheinlich schon weitermachen und eine Figur in den Rahmen zeichnen können, folgt nun noch ein sehr wichtiger Abschnitt. Für die fertige Zeichnung wird dies von großer Bedeutung sein, nehmen Sie sich daher Zeit und prägen Sie sich die folgenden Punkte sorgfältig ein. Die Teile des menschlichen Körpers, die sich bewegen, sind Gelenke. Andere Bereiche – die Knochen – sind unbeweglich. Es gibt zwei Arten von Knochen:

＊ Knochen, die die inneren Organe schützen – dicht unter der Haut (Vomer, Becken und Schädel)

＊ bewegliche Knochen – oft von Muskeln umgeben (Arme, Beine und Finger).

Die schützenden Knochen werden durch Dreiecke, Rechtecke und Ovale dargestellt. Gerade Linien werden für die beweglichen Knochen verwendet und Kreise für die Gelenke. Schauen Sie sich die Zeichnung an. Sie werden merken, daß der Mann breitere Schultern hat und kräftiger scheint. Die Frau hat ein ausgeprägtes Becken, das breiter als das des Mannes ist, da es bei einer schwangeren Frau das Baby aufnehmen muß.

Sowohl beim Mann als auch bei der Frau sollte mehr Raum für die Arme zugegeben werden, um die Muskeln darstellen zu können. Beispiele für Stellen, an denen die Knochen von außen sichtbar sind (außer den schützenden Knochen) sind die Gelenke.

● Bone Structure

Although you are probably ready now to go ahead and draw a figure into the frames, this section is very important. The finished drawing will differ completely, so take your time and study the following points carefully. The parts of human bodies the move a joints. Other areas ——bones—— ever move. There are two types of bones :

＊Bones protecting the internal organs—— close to the skin (vomer, pelvis, and cranium).

＊Bones with movement——often covered by muscles (arms, legs, and fingers).

The protecting bones are expressed with triangles, squares, and ovals. Straight lines are used for the moving bones, and circles for the joints. Refer to the illustrations. You will note that men have wider shoulders, and seem more study. Women have characteristic pelvises. They are wider than men's, since they become the baby's bed when the woman is pregnant.

For both men and women, extra volume should be given to the arms to express to muscles. Examples of areas in which the bones can be seen from the surface, othe than the protecting bones, are the joints and skin.

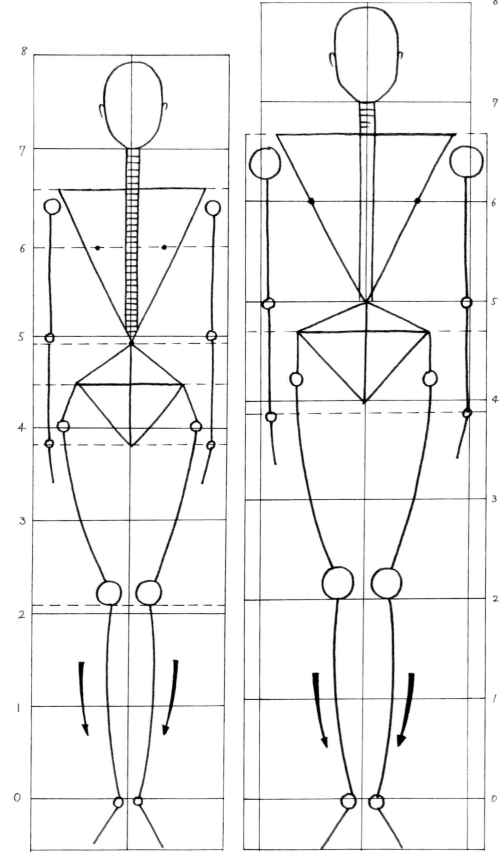

● Modellieren

Legen Sie das zweite Blatt Papier über das erste und beginnen Sie, die Figur zu modellieren. Das wird Pausen genannt. Stellen Sie mit den Büroklammern usw. sicher, daß die beiden Seiten zusammengeheftet sind.

Achten Sie darauf, daß Sie im Rahmen zeichnen. Schauen Sie sich hier die ungefähren Verhältnisse an. Die Taille einer Frau sollte ein wenig schmaler als ein Kopf sein. Achten Sie auf die Details. Wenn Sie von der Hüfte zum Knie zeichnen, werden Sie merken, daß die Linien nach innen zu schwenken scheinen. Fassen Sie an Ihre eigenen Knie, dann merken Sie, daß diese sich innen leicht knochig anfühlen.

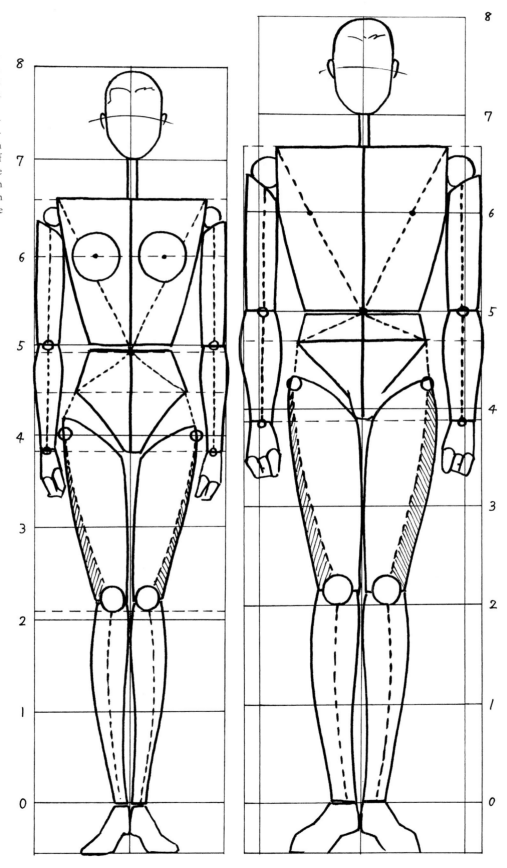

● Modeling

Place the second piece of paper over the first and begin to model the figure. This is called tracing. Use the clips and so forth to secure the pages together. Make sure to draw in the frames again.

Check the approximate volume here. A woman's waist should be slightly smaller than one head. Pay attention to the things. When going from the hips to the knees you will notice that the lines appear to go inward. Touch your own knees to see that the inside feels slightly boney.

● Perspektive und Details (Hände und Füße)

Eine Methode zur Erstellung einer dreidimensionalen Figur besteht darin, sich den menschlichen Körper als Zylinder vorzustellen. Man bringt die Taille auf Augenhöhe und die Figur wird zum Zylinder, wie auf der Abbildung zu erkennen ist. Achten Sie besonders auf die Fußgelenke, das vordere muß unterhalb des hinteren positioniert werden. Dies wird später noch wichtig. Üben Sie das Zeichnen von Händen und Füßen anhand der Beispielabbildungen.

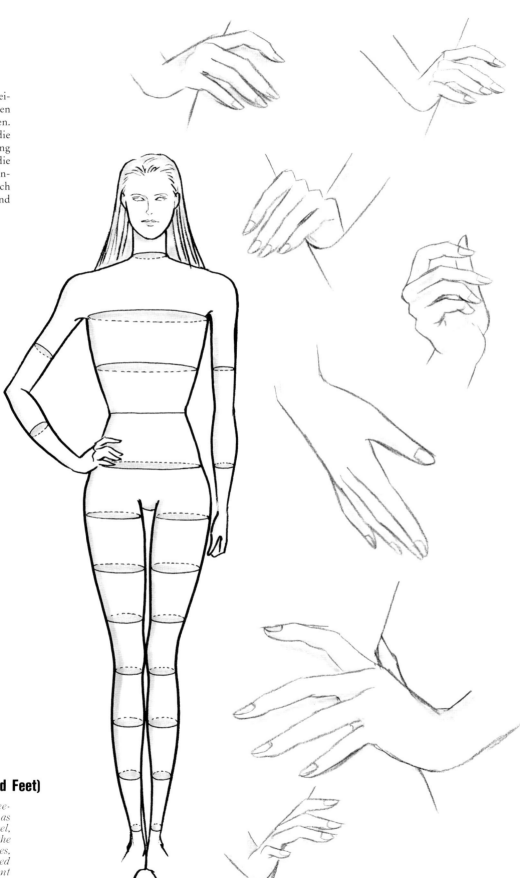

● Perspective and Details (Hands and Feet)

As a method of expressing three-dimensional figure, consider the human body as a cylinder. By bringing the waist to eye level, the figure becomes a cylinder, as seen in the illustration. Pay special attention to the ancles, making sure that the closest one is positioned below the far one. This will become important later. Practice drawing hands and feet using the illustrations as examples.

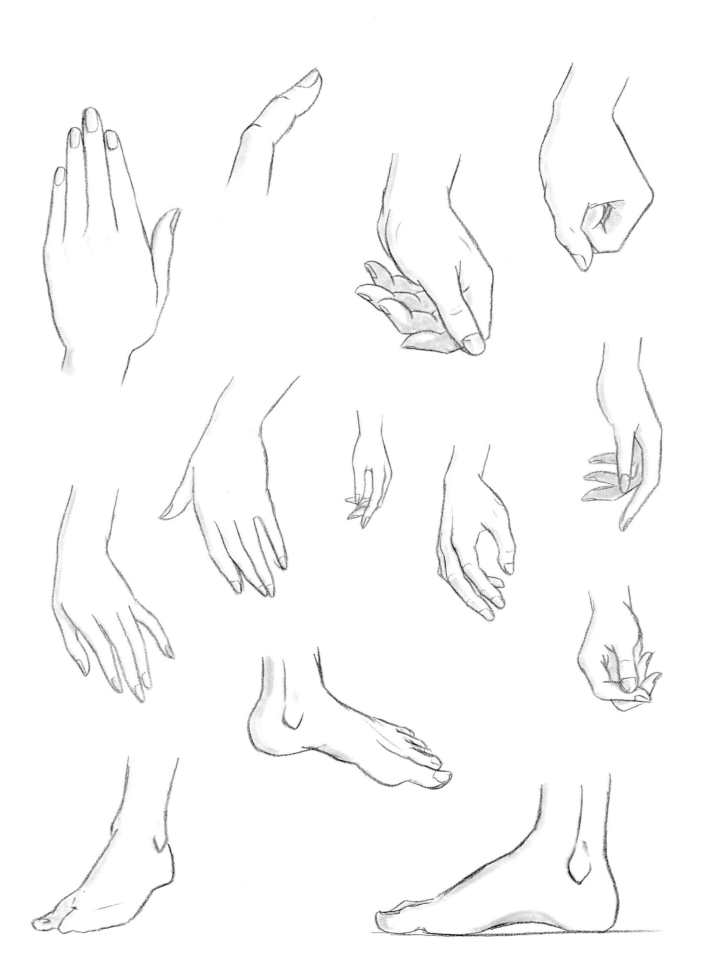

● Muskeln

Wir sind jetzt schon fast fertig. Legen Sie das dritte Blatt Papier über die beiden anderen und pausen Sie die Umrisse der Figur durch. Dann Gesicht, Hände und Muskeln einzeichnen. Modellieren Sie den Körper anhand der drei Beispielfiguren. Auf Seite 30 bis 36 wird erläutert, wie man das Gesicht zeichnet. Die Abbildungen auf Seite 8 sind jetzt fertig.

● Muscles

We are nearly finished. Place the third piece of paper over the first two and trace the figure. Draw in the face, hands, and muscles. Use the three figures as examples to model the body. Refer to pages 30 to 36 for how to draw the face. The illustrations on page 8 are now complete.

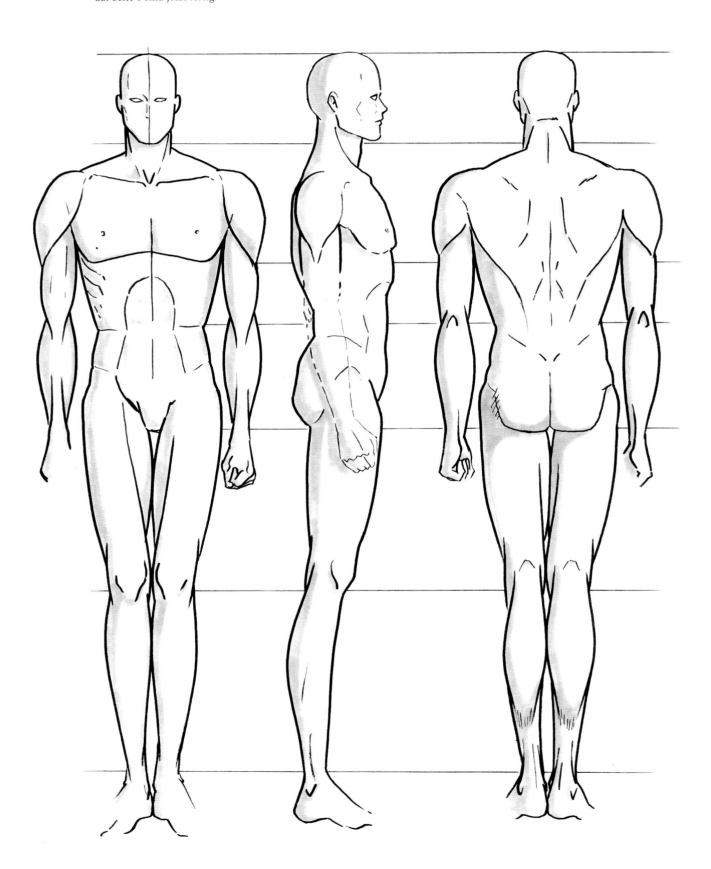

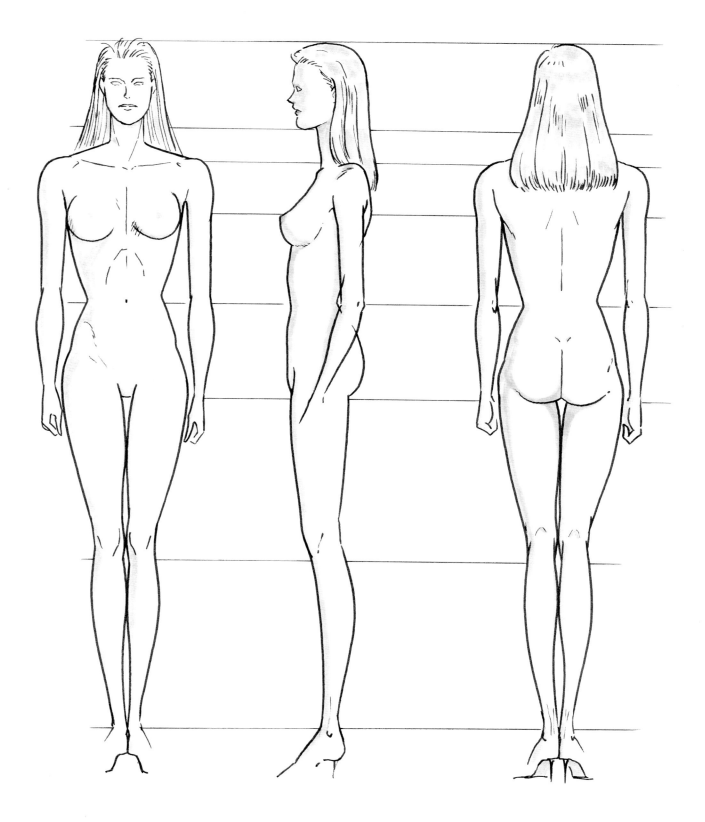

[2] Realisierung ansprechender Posen

Creating Beautiful Poses

Nachdem Sie aufrecht stehende Figuren zeichnen können, probieren Sie nun bestimmte Posen. Um das Konzept des Entwurfs möglichst genau zu vermitteln, sind Standposen sehr geeignet, d.h. alle Körperhaltungen, bei denen die Kleidungsstücke keine Falten bekommen. Folgende Punkte sind dabei wichtig:

(1) Geben Sie der Figur eine elegante Standhaltung.
(2) Die Pose sollte sich nach dem Entwurfskonzept richten:
  ✻ enger Rock – keine gespreizten Beine
  ✻ Betonung des Brustkorbs – keine verschränkten Arme
(3) Die Figur kann nicht einfach stehen – Gewichtsverlagerung ist wichtig.
  ✻ Der menschliche Körper ist beweglich. In dem man einfach das Gewicht einer aufrecht stehenden Figur auf eine Seite verlagert, erhält die Abbildung Bewegung.

(1) *Make the figures stand elegantly.*
(2) *The pose should be based on the design concept.*
  ✻ *Tight skirt——do not spread the legs.*
  ✻ *Emphasis on the chest——do not cross the arms.*
(3) *The figure cannot simply be standing——shift of weight is important.*
  ✻ *The human body is rhythmical. By simply shifting the weight of an upright figure to one side, rhythm is added to the illustration.*

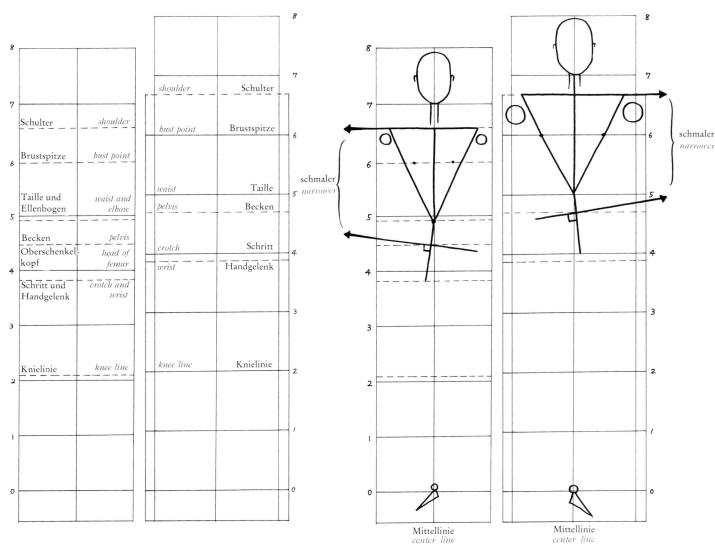

Mittellinie
center line

Mittellinie
center line

● Zeichnen von Figuren mit Gewichtsverlagerung

1. Erstellen Sie wie bei der aufrecht stehenden Figur einen Rahmen für die Körperverhältnisse.
2. Bestimmen Sie das Standbein (das Bein, auf dem das Gewicht ruht). Das Gelenk des Standfußes kommt auf die Linie für den Schwerpunkt. Verlängern Sie die senkrechte Linie der Halsmitte; sie trifft auf den Standfuß. Diese senkrechte Linie steht für den Schwerpunkt und stimmt mit der Mittellinie bei einer ganz aufrecht stehenden Figur überein. Wir haben das rechte Bein (links, wenn man die Figur anschaut) bei der Frau und

das linke Bein beim Mann gewählt. Wenn das Gewicht auf ein Bein verlagert wird, wird die Hüfte auf der Standbeinseite gehoben. Aus diesem Grund sind Schulter- und Hüftlinie nie parallel. Sie würden an einem Punkt weiter oben zusammenlaufen, wobei die Standbeinseite schmaler wird. Das ist von großer Wichtigkeit und grundlegend bei der Schwerpunktverlagerung.

② *Choose the axial leg (the one supporting the weight). The axial foot's ankle comes on top of the line of the center of gravity. Lower the perpendicular line from the center of the throat and it will fit the axial ankle. This perpendicular line is the line of the center of gravity, and is the same as the center line of an upright, straight figure. We have chosen the right leg (left if facing the figure) for the woman, and the left for the man. When weight is placed on one leg, the axial side's hip is raised. Therefore, the lines of the shoulder and hip are never parallel. Rather, they will come to a point at the top, and the axial side narrower. This is very important, and is the basis of a one-sided center of gravity.*

③ Selbst wenn die Hüfte sich dem Standfuß zu-
neigt, ändert sich die zugrundeliegende Rechteckform nicht. Achten Sie darauf, nicht ein
Rechteck wie das hier gezeigte zu zeichnen. Vervollständigen Sie die Zeichnung so, daß das fertige Rechteck in der Form dem des gerade und
aufrecht stehenden Körpers gleicht. Anders ausgedrückt, die gleich markierten Stellen in der
Abbildung müssen die gleiche Länge oder den
gleichen Winkel aufweisen.

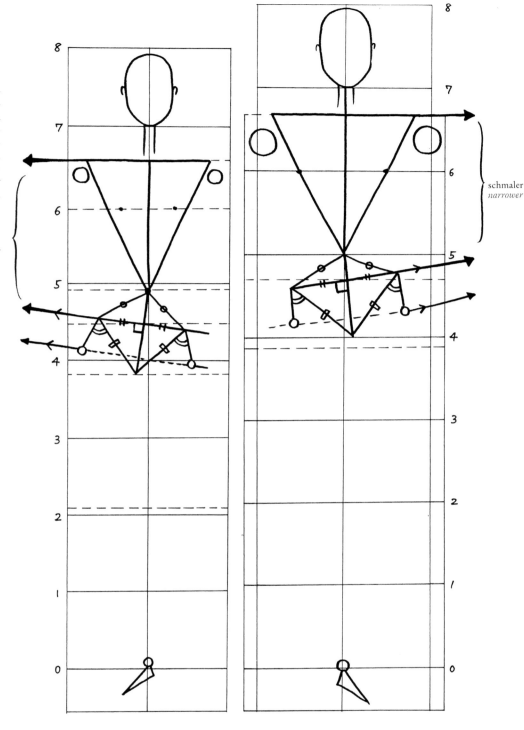

③ *Even if the hip slants towardsthe axial foot,
the basic square shape does not change. Make
sure that you do not finish with a figure such as
the one shown here. Continue drawings so that
the finished figure is the same as the square
shape of the upright, straight body. In other
words, the same marks in the illustration
should either be the same dimensions or angles.*

Die zugrundeliegende Rechteckform
kann nicht ausgeglichen sein, wenn
sich die Diagonalen nicht im richti-
gen Winkel schneiden.

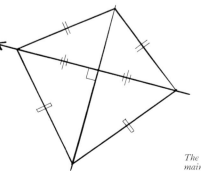

*The basic square shape cannot
maintain the good balance if the
diagonal lines do not cross at a
right angle.*

④ Zeichnen Sie das Standbein. Achten Sie darauf, daß sich das Knie zusammen mit der Hüfte hebt.
⑤ Zeichnen Sie das Spielbein. Achten Sie darauf, daß hier das Knie tiefer ist als das des Standbeins. Darüberhinaus muß das Spielbein, falls es sich vor dem Standbein befindet, tiefer als dieses gezeichnet werden bzw. höher angesetzt werden, wenn es sich hinter dem Standbein befindet. Überprüfen Sie, daß beide Beine gleichlang sind.

④ *Draw in the axial leg. Note that the knee rises with the hip.*
⑤ *Draw in the supporting leg. Note that the knee is lower than that of the axial leg. Furthermore, if the supporting leg is in front of the axial leg, it should be drawn lower than the latter and higher than the axial leg if it is behind it. Check to make sure that both legs are the same length.*

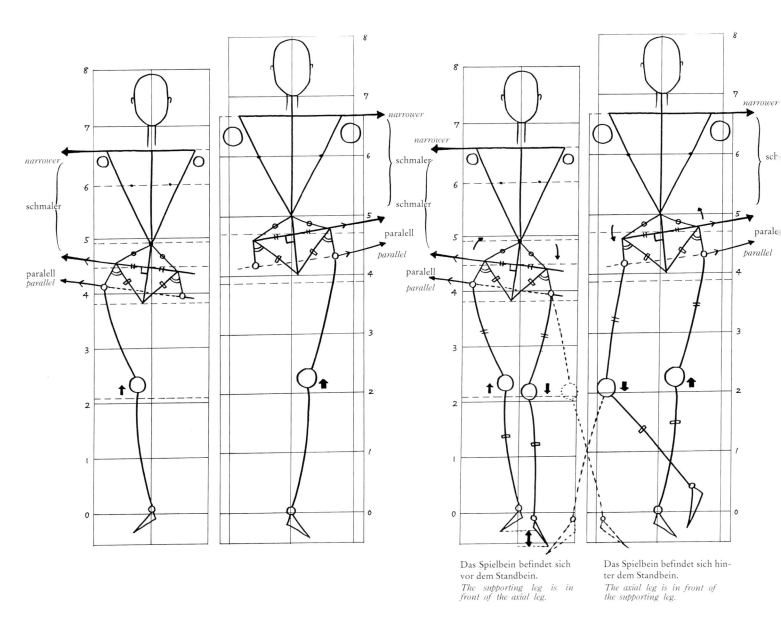

Das Spielbein befindet sich vor dem Standbein.
The supporting leg is in front of the axial leg.

Das Spielbein befindet sich hinter dem Standbein.
The axial leg is in front of the supporting leg.

⑥ Fügen Sie die Arme hinzu und die Grundfigur ist fertig. Überprüfen Sie auch hier, daß beide Arme gleichlang sind. Bei in die Hüften gestützten Händen ist die Position der Ellenbogen wichtig. Wenn Sie die Ellenbogen so zeichnen möchten, daß sie nicht direkt abstehen, sondern ein wenig nach hinten weisen, und die Ellenbogen abgewinkelt sind, scheint sich die Armlänge zu verändern. Betrachten Sie die Abbildung.

⑥ Add the arms and basic structure is finished. Make sure that both arms are the same length, as well. The positioning of the elbows when the hands on the hips is important. If you want to draw the elbows so they are not sticking straight out, but a little to the back, pulling in the side, the length of the arms seems to change. Refer to the illustration.

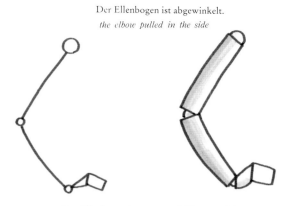

Der Ellenbogen ist abgewinkelt.
the elbow pulled in the side

Der Ellenbogen ist etwas nach hinten gerichtet.
The elbow is positioned a little to the back.

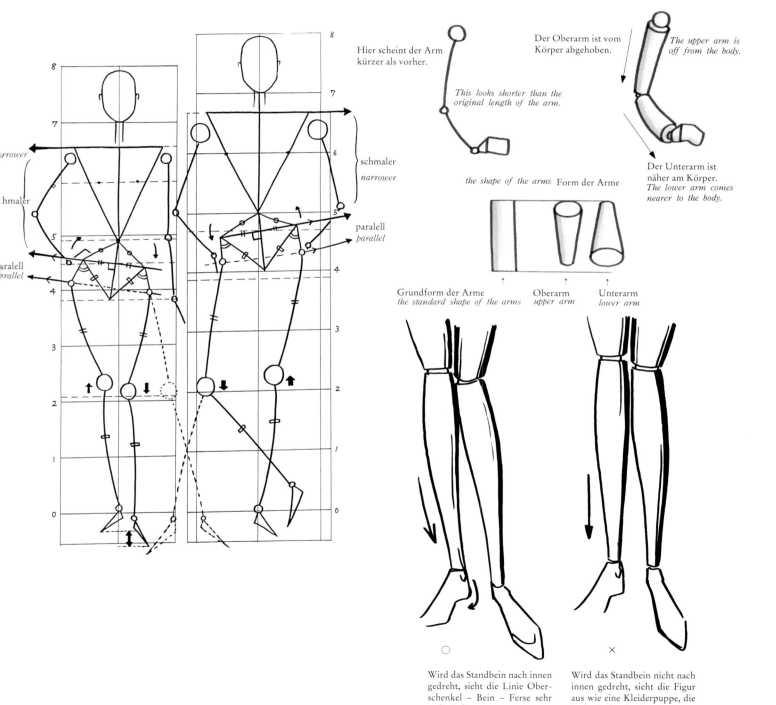

Hier scheint der Arm kürzer als vorher.

This looks shorter than the original length of the arm.

the shape of the arms Form der Arme

Der Oberarm ist vom Körper abgehoben.
The upper arm is off from the body.

Der Unterarm ist näher am Körper.
The lower arm comes nearer to the body.

Grundform der Arme
the standard shape of the arms

Oberarm
upper arm

Unterarm
lower arm

8

7

narrower

schmaler
narrower

paralell
parallel

rrower

hmaler

ralell
rallel

8
7
6
5
4
3
2
1
0

○

×

Wird das Standbein nach innen gedreht, sieht die Linie Oberschenkel – Bein – Ferse sehr realistisch aus.

If the axial leg is brought inward, the line from the thighs, legs, to the heels looks realistic.

Wird das Standbein nicht nach innen gedreht, sieht die Figur aus wie eine Kleiderpuppe, die in der Luft schwebt.

If the axial leg is not brought inward, the figure looks like a manequine doll floating in the air.

19

⑦ Modellieren Sie die Figur. Das geschieht im Grunde genauso wie beim aufrechten Körper. Wenn man den Standfuß nach innen gedreht zeichnet, scheint die Figur zu stehen.

⑦ *Model the figure. The method is basically the same as the straight body. By drawing the axial foot so that it is brought inward, the figure appears to be standing.*

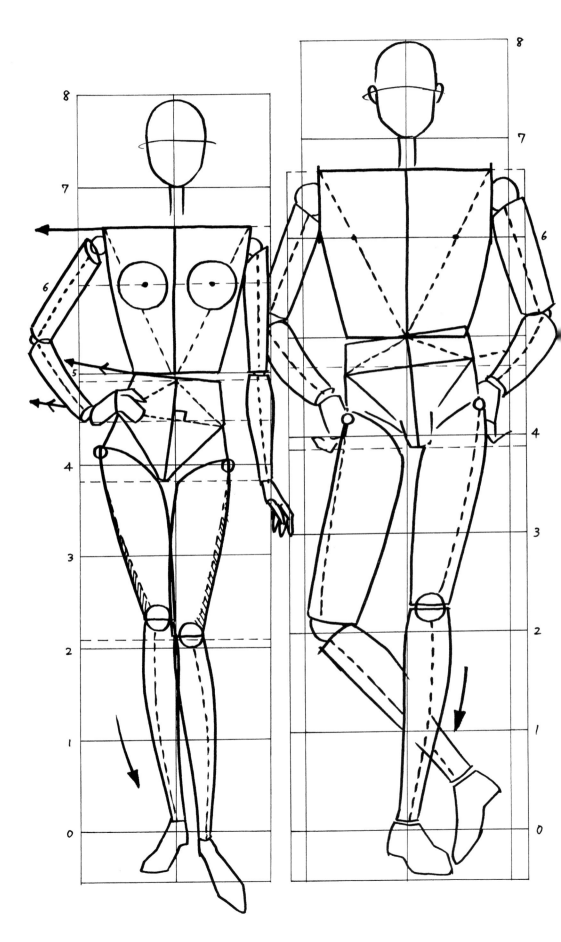

● Körperproportionen bei Gewichtsverlagerung   **Proportion of Bodies with Weight to One Side**

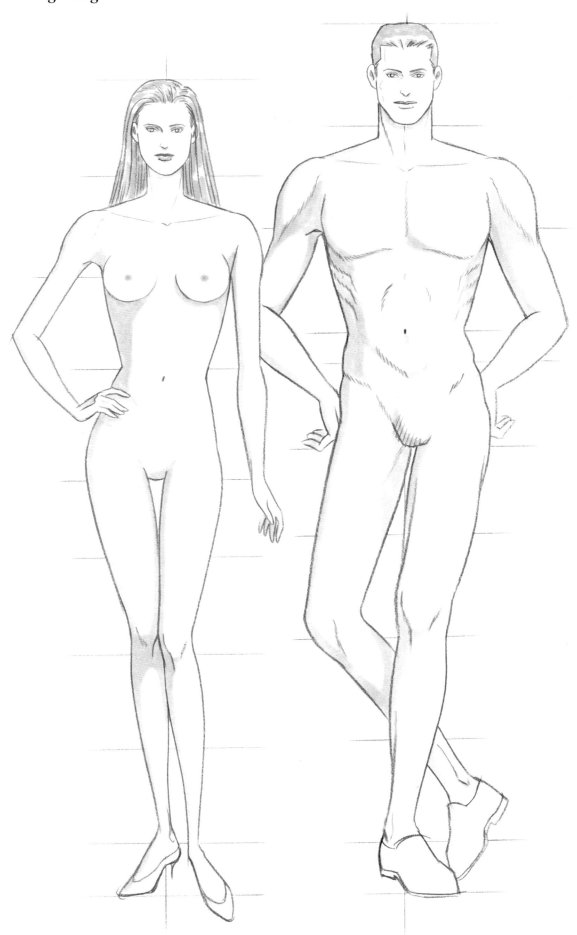

● Verschiedene Posen

Wir haben eine Reihe von Posen ausgewählt, die
wir bei Modezeichnungen für vorteilhaft halten.
Schauen Sie sich die Knochenstruktur und die
modellierten Skizzen an, um die verschiedenen
Posen zu analysieren und zu zeichnen. Achten
Sie besonders auf die Knochenstruktur bei Körpern, die schräg aus einem Winkel zu sehen sind.
Prägen Sie sich die Veränderungen im Becken-
rechteck und in den Vomerdreiecken ein.

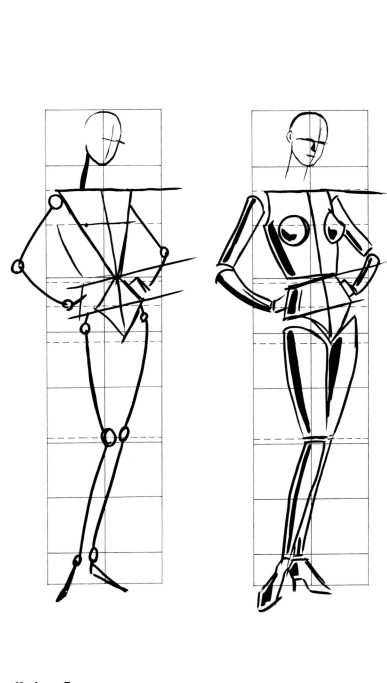

● Various Poses

*We have selected several poses that we feel
are useful for drawing fashion illustrations.*
*Refer to the bone structure and modeling
sketches to analyze and draw the various poses.*
*Pay special attention to the bone structure of
bodies at an angle. Study the changes in the
square of the pelvis and the triangles of the
vomer.*

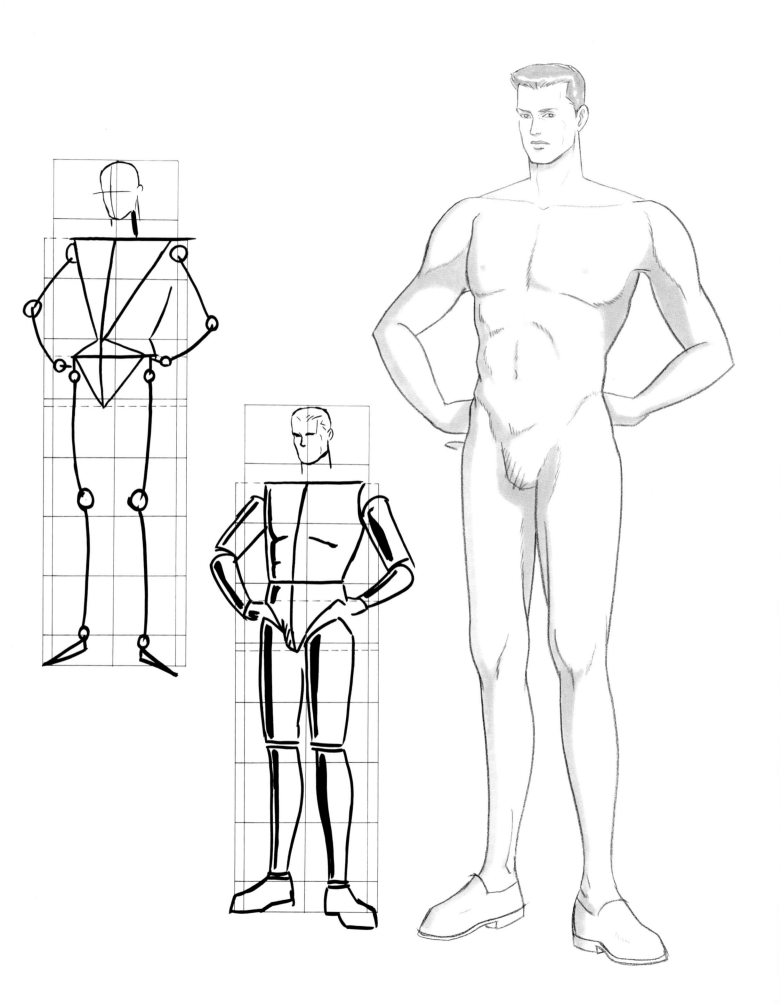

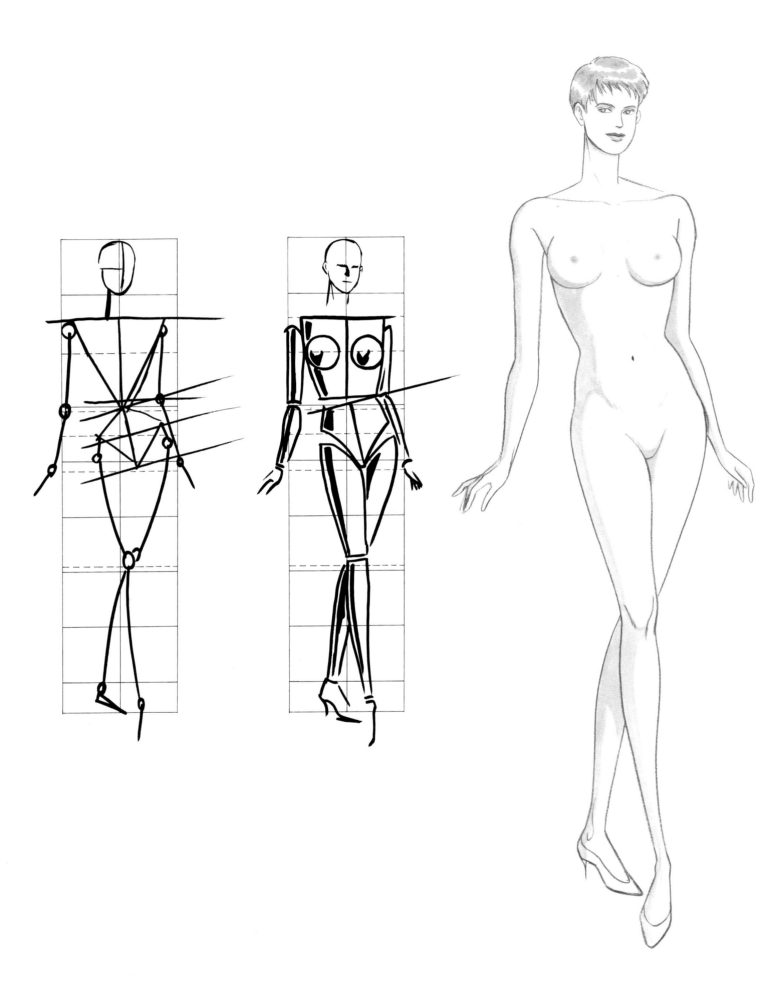

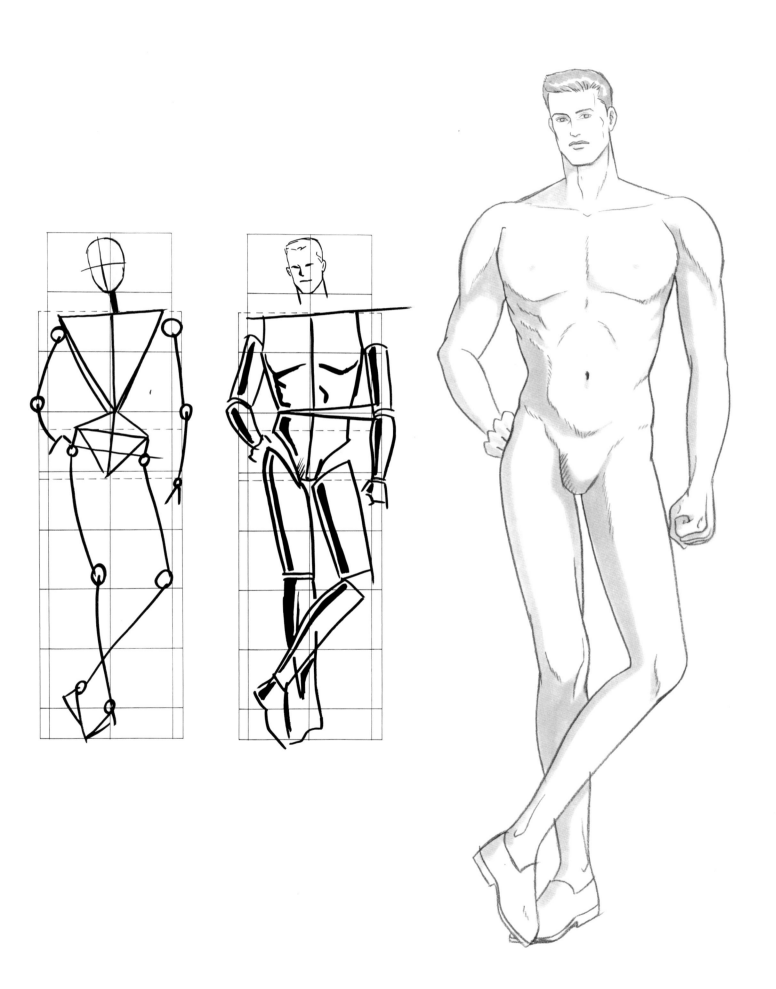

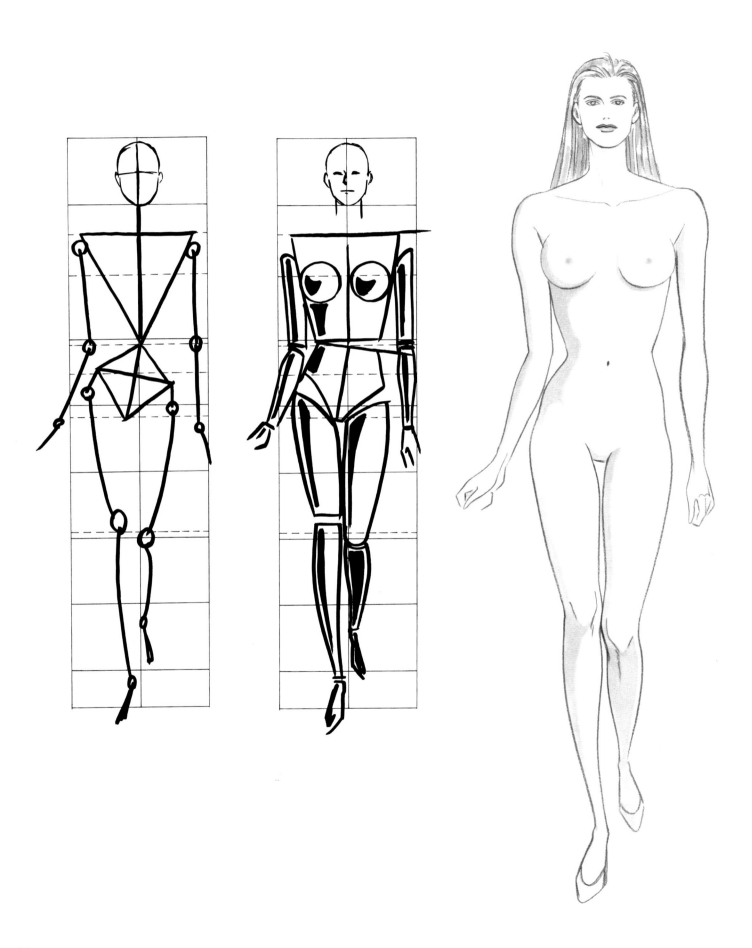

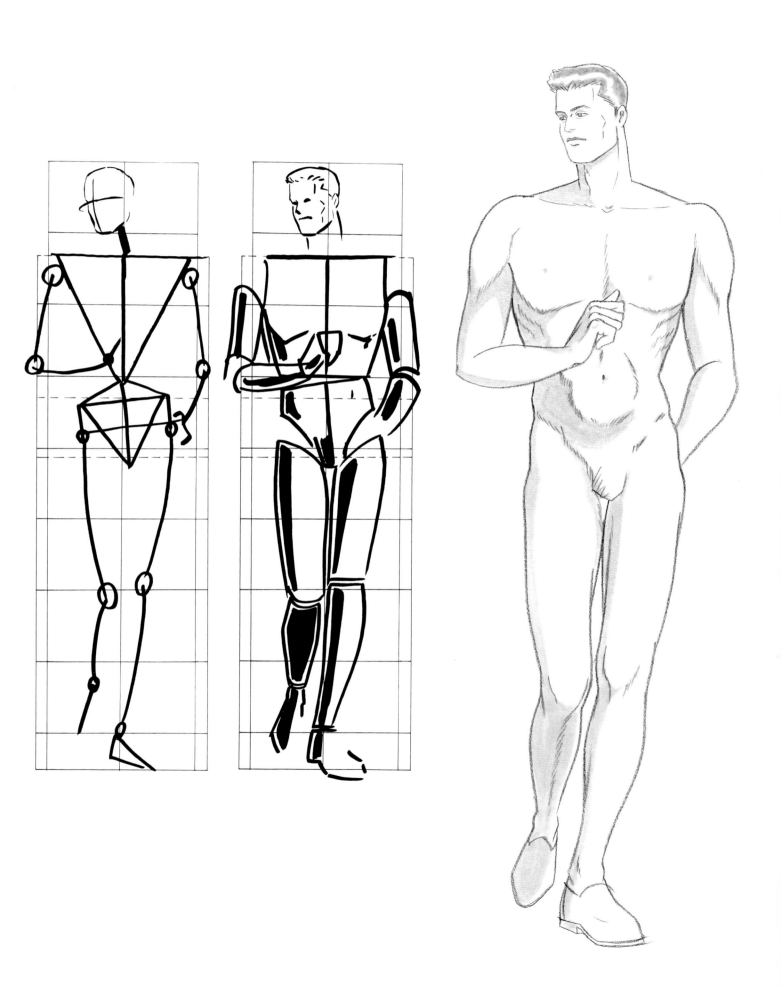

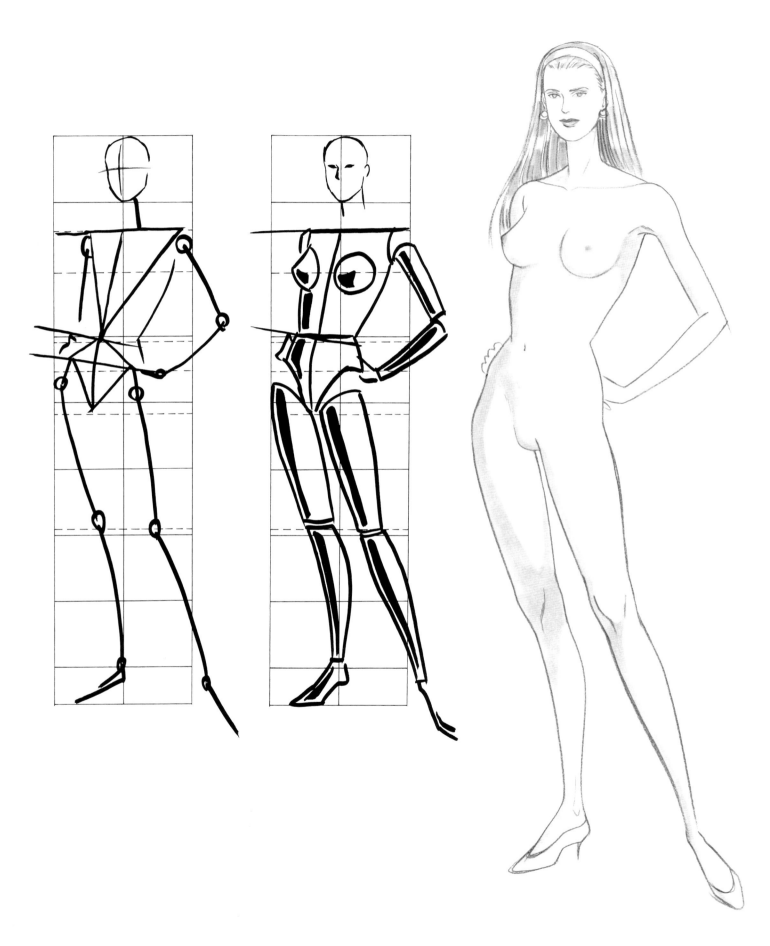

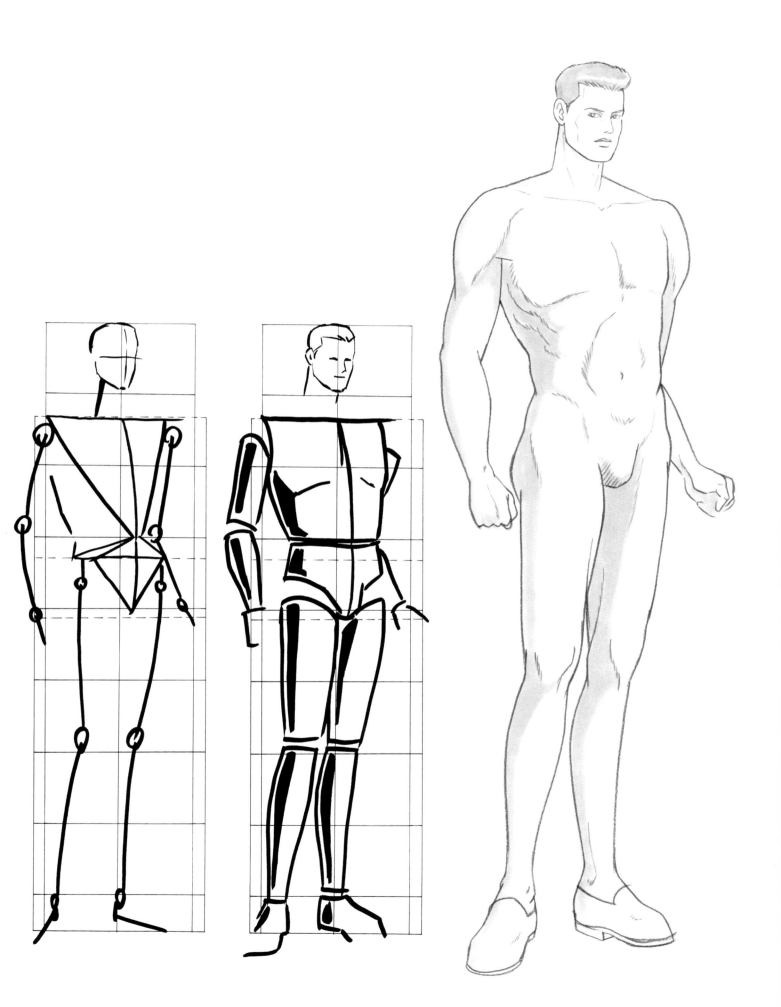

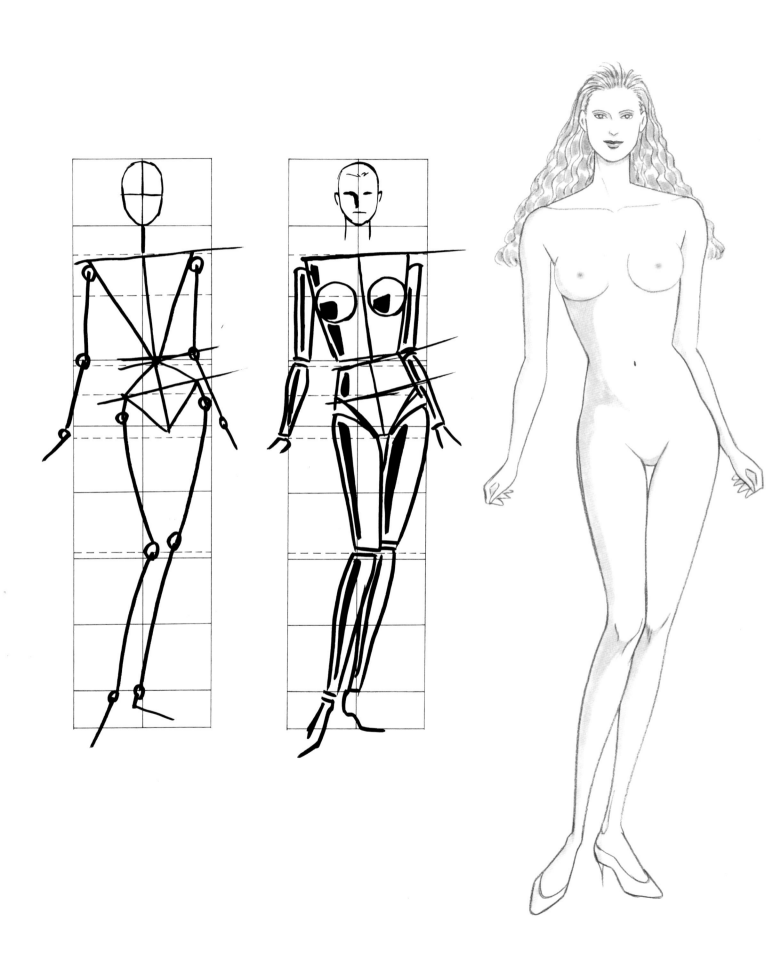

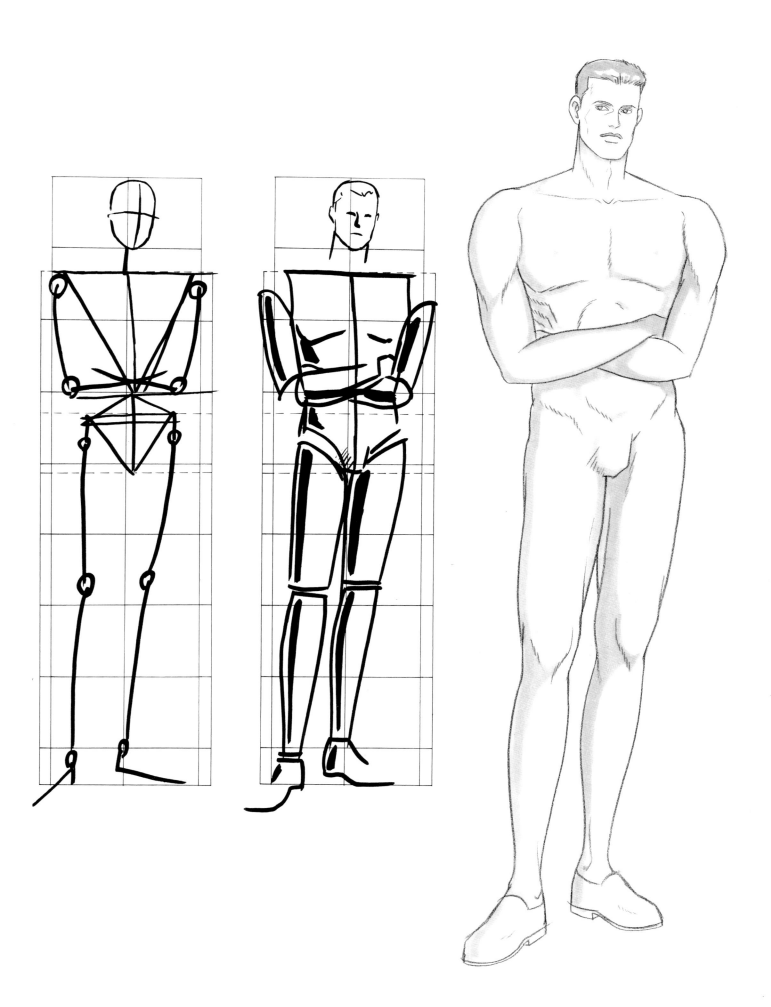

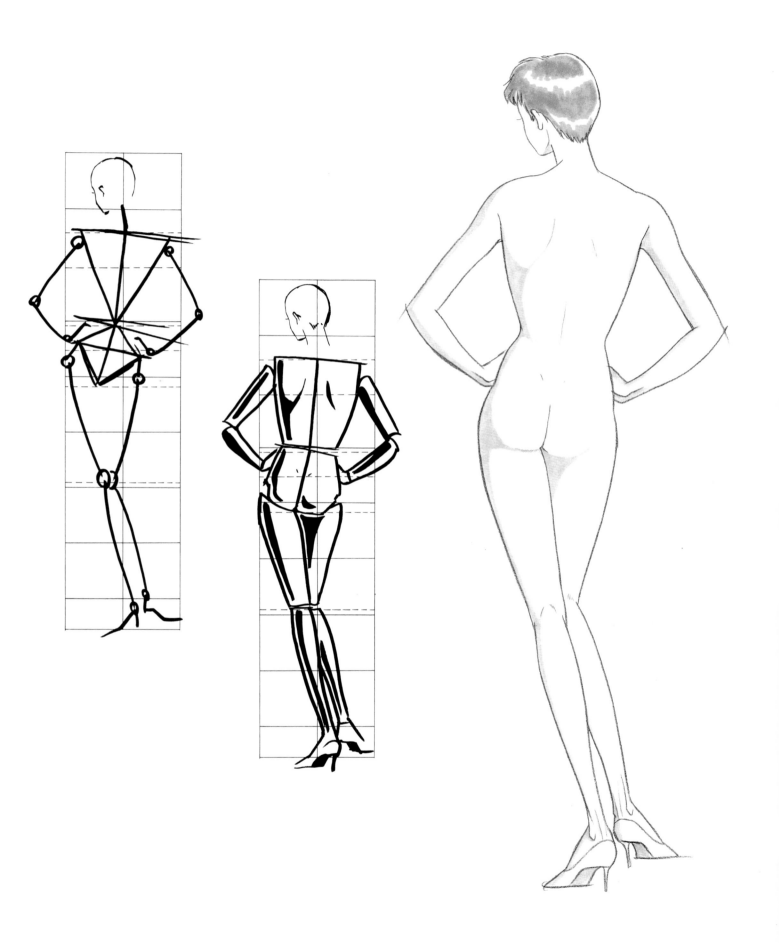

[3] Das Gesicht   Drawing the Face

① Die einzelnen Züge sind am einfachsten zu zeichnen, wenn das Gesicht etwa 7 cm lang ist. Fügen Sie die Linien gemäß der Abbildung hinzu. Zeichnen Sie Vorder-, Schräg- und Seitenansicht gleichzeitig.

① It is easiest to draw each feature when the face is about 7cm long. Add lines as shown. Simultaneously draw frontal, angle, and side views.

② Vorderansicht: Zeichnen Sie zwei Kreise mit den Durchmessern 5 cm und 3 cm auf der Mittellinie, wie abgebildet.

    Schrägansicht: Zeichnen Sie einen Kreis von 5 cm Durchmesser. Fügen Sie die Linien AB, CD und EF wie abgebildet hinzu.

② Frontal : Draw two circles with diameters of 5cm and 3cm on the center line, as shown.
*   Angle : Draw a 5cm (diameter) circle. Add lines AB, CD, and EF, as shown.*

③ Vorderansicht: Teilen Sie die Linie AB durch 5 und bestimmen Sie die Position der Augen. Wenn Sie Augenwinkel und Nase verbinden, erhalten Sie ein Dreieck. Fügen Sie die Linien GH, IJ und KL hinzu.

③ Frontal : Divide line AB into five and set the position of the eyes. A triangle is formed by connecting the corners of the eyes and the nose. Add lines GH, IJ, and KL.

④ Vorderansicht: Ziehen Sie eine gleichmäßige Linie von den Punkten M und N zum 3cm-Kreis. MOP und NQR sind die schattiert dargestellten Wangenbereiche. Zeichnen Sie von den Punkten M und N jeweils eine senkrechte Linie nach oben.

    Schrägansicht: Fügen Sie die Linie hinzu, die das Nasenbein bilden wird (Linie ST) Diese entspricht der Linie GI in der Vorderansicht. Geben Sie beim Hinterkopf 0,5 cm zu.

    Seitenansicht: Verbinden Sie die Punkte U, V, H und W mit einer gleichmäßigen Linie. Die Köpfe schauen jetzt nach links.

④ Frontal : Draw in a smooth line from points M and N towards the 3cm circle. MOP and NQR are the shaded cheek areas. Draw a perpendicular line upward from points M and N.
*   Angle : Add the line which will become the bridge of the nose (line ST). This is equal to line GI of the frontal view. Lengthen the back of the head by 0.5cm.*
*   Side : Smoothly connect points U, V, H, and W. All heads are now looking towards the left.*

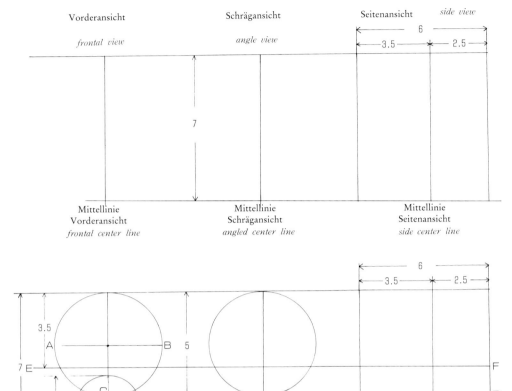

Vorderansicht — *frontal view*   Schrägansicht — *angle view*   Seitenansicht — *side view*

Mittellinie Vorderansicht — *frontal center line*   Mittellinie Schrägansicht — *angled center line*   Mittellinie Seitenansicht — *side center line*

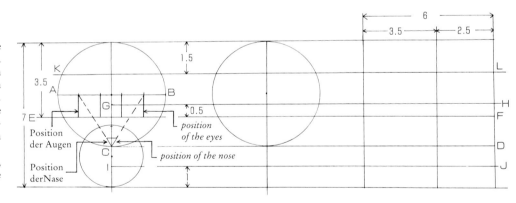

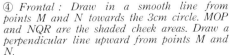

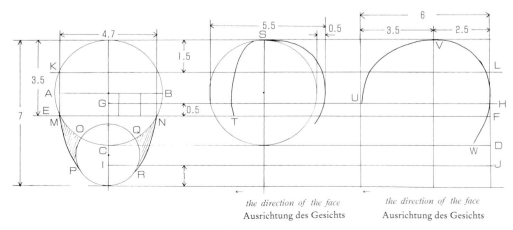

the direction of the face — Ausrichtung des Gesichts   *the direction of the face* — Ausrichtung des Gesichts

⑤ Vorderansicht: Zeichnen Sie die Ohren von den Punkten M und N aus.

Schrägansicht: Ziehen Sie eine gleichmäßige Linie von Punkt S nach X. Linie SX entspricht VY in der Seitenansicht. Zeichnen Sie den Umriß des Gesichts und fügen Sie die Ohren hinzu.

Seitenansicht: Passen Sie den Umriß an, während Sie Nase, Mund und Kinn zeichnen.

⑤ *Frontal : Draw the ears from points M and N.*

Angle : Draw a smooth line from points S towards X. Point SX equals VY in the side view. Draw the outline of the face and add ears.

Side : Adjust the out line when drawing the nose, mouth, and chin.

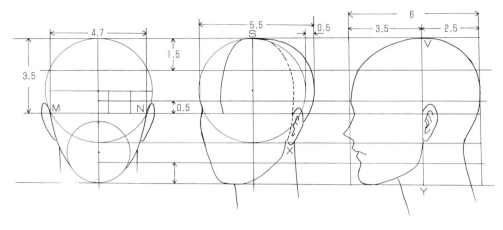

⑥ Zeichnen Sie Ohren, Nase und Mund. Auf Seite 36 finden Sie Details für das Gesicht.

⑥ *Draw the eyes, nose, and mouth. Refer to page 36 for the details of the face.*

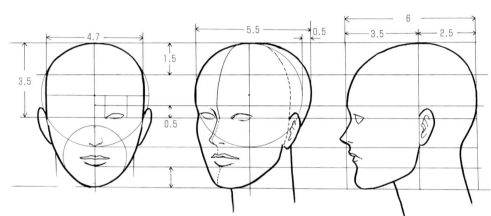

⑦ Das Modell für dieses Gesicht wurde in Abb. 6 skizziert. Zeichnen Sie in Ihr Original Augen, Augenbrauen und Haare ein und geben Sie ihm seinen besonderen Ausdruck.

⑦ *The model of this face was traced in Fig.⑥ Draw in your original eyes, eyebrows, and hair, making a unique face.*

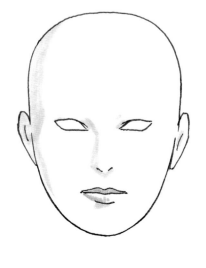

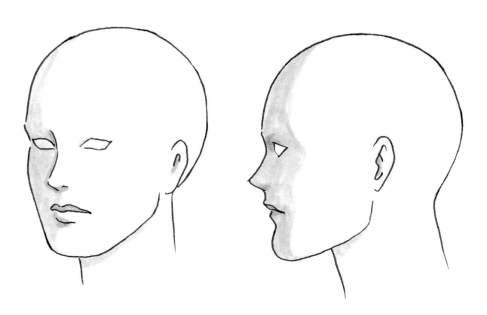

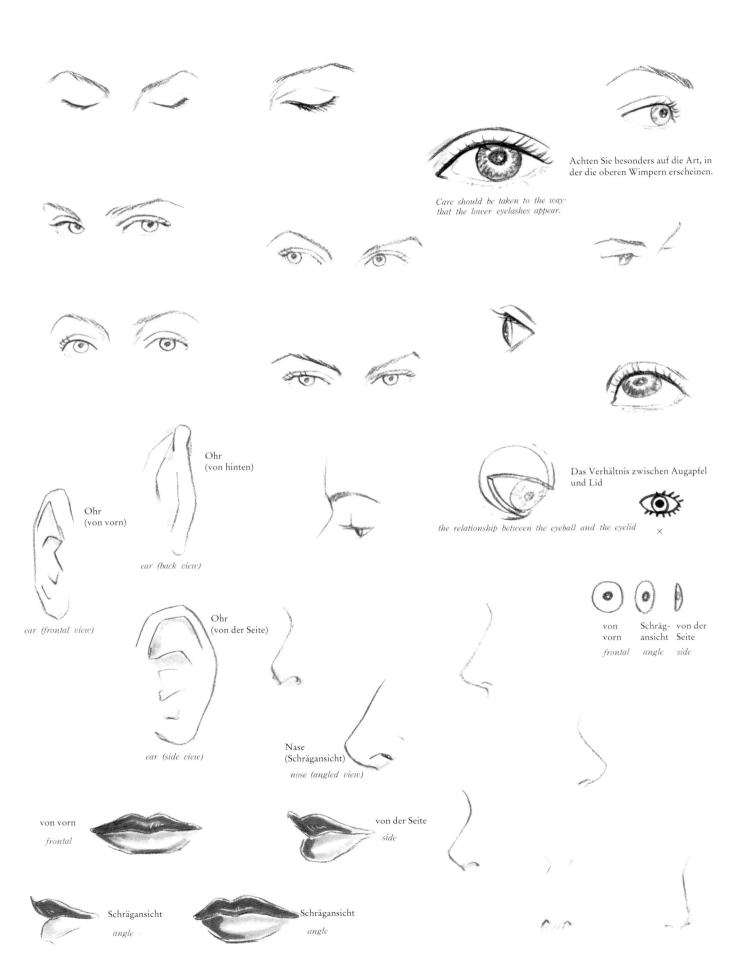

Achten Sie besonders auf die Art, in der die oberen Wimpern erscheinen.

Care should be taken to the way that the lower eyelashes appear.

Ohr
(von hinten)

Ohr
(von vorn)

ear (back view)

ear (frontal view)

Ohr
(von der Seite)

ear (side view)

Nase
(Schrägansicht)

nose (angled view)

Das Verhältnis zwischen Augapfel und Lid

the relationship between the eyeball and the eyelid

von vorn   Schräg-   von der
ansicht   Seite

frontal   angle   side

von vorn

frontal

von der Seite

side

Schrägansicht

angle

Schrägansicht

angle

Kapitel 2

Chapter 2

(Bügeldarstellung)

ZEICHNEN VON KLEIDUNG

COSTUME DRAWING

(hanger illustrations)

● Das Zeichnen von Modellen auf Bügeln

Beim Entwurf von Kleidern sind drei wichtige Dinge zu beachten:
① Umriß: wie soll der Gesamteindruck des Kleidungsstückes ausfallen? (z.B. X-Linie, Y-Linie usw.)
② Details: welche Details sind nötig, damit aus dem Umriß ein richtiges Kleidungsstück wird? (z.B. Abnäher, Biesen, Falten usw.)
③ Stoff: welches Material sollte verwendet werden, um das entworfene Kleidungsstück so bequem wie möglich zu machen? (z.B. Baumwolle, Leinen, Tweed usw.)

Nur wenn diese drei Dinge gut aufeinander abgestimmt werden, kann der Entwurf Erfolg haben. Zuerst wollen wir uns Umriß und Details zuwenden.
Um einen als Idee vorhandenen Entwurf auf Papier zu bringen, ist es günstiger, eine Bügeldarstellung ohne Körper zu zeichnen, als eine Modezeichnung zu erstellen, auf der eine Figur das Kleidungsstück trägt.
Eine Bügeldarstellung ist, wie der Name schon sagt, eine Zeichnung, auf der das Kleidungsstück auf einem Bügel hängt oder auf dem Boden liegt.

● Drawing Hanger Illustrations

There are three important points to remember when designing clothes :

① Silhouette : what is overall balance of the costume going to be ?
E.g. : X-line, Y-line, etc.
② Details : what are the necessary details to actually develop the silhouette into a costume ?
E.g. : Darts, tuks, pleats, etc.
③ Textile : what material should be used to make the designed costume the most comfortable ?
E.g. : cotton, linen, tweed, etc.

Only when these three points are properly combined will the design be a success. Let us first discuss the silhouette and details.
In order to express a design in the mind on paper, it is better to draw a hanger illustration, one without a body, rather than a fashion illustration, in which the body is wearing the clothes.
A hanger illustration, as the name implies, is one in which the costume is hanging on a hanger, or is placed on the floor.

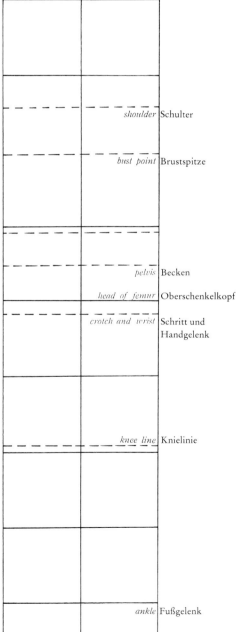

shoulder	Schulter
bust point	Brustspitze
pelvis	Becken
head of femur	Oberschenkelkopf
crotch and wrist	Schritt und Handgelenk
knee line	Knielinie
ankle	Fußgelenk

(Objekt: einreihiges Jackett mit drei Knöpfen von oben nach unten auf der Vorderseite)
Bereitlegen:
Pauspapier, Kentpapier, zwei Büroklammern, Lineal, zwei Tuschestifte von 0,5 und 0,2 mm, Kreppklebeband (18 mm)

(1) Benutzen Sie die weibliche Figur im Rahmen auf Seite 9. Um das Größenverhältnis des Kleidungsstücks genau wiederzugeben, müssen Sie sich zuerst genau mit dem Verhältnis des menschlichen Körpers vertraut machen. Es ist sinnvoll, einen Grundrahmen zu erstellen und ihn einige Male zu kopieren. Zwar ist es denkbar, die Rahmen jeweils für Herren- oder Damenbekleidung zu verändern, es kann jedoch eigentlich immer die Frauenfigur benutzt werden. Schauen Sie sich zuerst noch einmal die Größenverhältnisse des menschlichen Körpers auf Seite 9 an. Prägen Sie sich die Position von Schultern, Hüften und Handgelenken ein. Danach schauen Sie sich den Umriß des Jacketts an. Wir haben hier die Form tailliert. Wenn Sie sich dem Volumen des Jacketts zuwenden, werden am besten die Schultern auf beiden Seiten etwas verbreitert, um die Schulterpolster anzudeuten. Die Länge sollte so konzipiert sein, daß die Saumlinie des Jacketts das Gesäß bedeckt. Es ist ebenfalls wichtig, die

Form des Kleidungsstücks im Verhältnis zur Dicke des Stoffs zu sehen. Frühjahrs- und Sommermode sind natürlich dünn, während Herbst- und Wintermode dick ausfallen.

(2) Beginnen Sie von der rechten Hälfte (wenn man die Figur ansieht) aus zu zeichnen. Achten Sie auf die Form des Ärmels. Bestimmen Sie sie aufgrund der Position des Handgelenks im Rahmen.

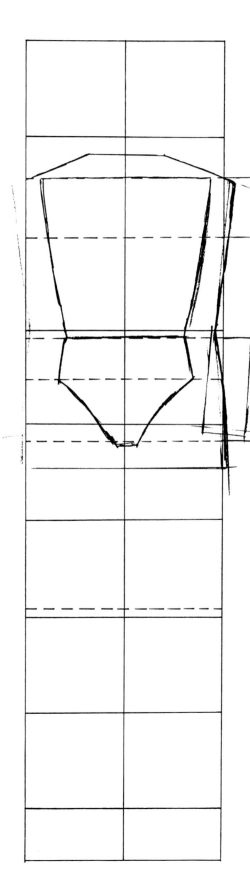

Schulter
shoulder

Brust
bust

Taille
waist

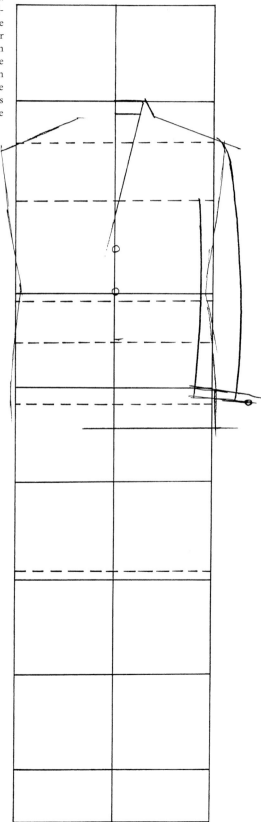

(Item : Single-breasted jacket with three bottons down the front)
Things to Prepare :
Tracing paper, Kent paper, two clips, ruler, 0.5 and 0.2mm draft pens, masking tape (18mm).

(1) Use the framed female figure on page 9. In order to accurately express the costume's balance, you must first accurately grasp the human body's balance. It is useful to create a basic frame, and copy a number of them. Although it is acceptable to alter the frames according to men's and women's clothing items, it is only necessary to use the woman. First go over the human body's balance on page 9 once more. Confirm the positioning of the shoulders, hips, and wrists. Next consider the jacket's silhouette. We have given shape to the waist here. When considering the jacket's volume, it is best to widen the shoulders slightly to both sides, expressing the shoulder pads. The length should be so that the jacket's hemline covers the buttocks. It is also very important to balance the costume with the thickness of fabric in mind. Spring and summer fashions will naturally be thin, and fall and winter ones thick.

(2) Begin drawing from the right half (facing the figure). Pay attention to the sleeve's balance. Determine the balance from the wrist's location within the frame.

(3) Fügen Sie die Details hinzu.
Fallendes Revers. Einreiher (eine Reihe Knöpfe).
Zwei der drei Knöpfe sind geschlossen. Abnäher
sind für die Taillierung wichtig. Die Taschen sind
aufgesteppt und haben Klappen. Denken Sie an
die Größe, wenn Sie sie ansetzen. Die Taschen-
oberkante bildet im allgemeinen eine Linie mit
dem untersten Knopf. Eine weitere Grundregel
besteht darin, daß die Gesamtzahl der Knöpfe
vorn und am Ärmel ungleich sein sollte. Da hier
auf der Vorderseite drei Knöpfe vorhanden sind,
sollten auf jeden Ärmel zwei gesetzt werden. Der
Entwurf der rechten Seite ist jetzt fertig.

(4) Linke Seite. Es ist zwar recht schwierig, beide
Seiten symmetrisch zu zeichnen, mit einem einfa-
chen Trick kann man dem Problem jedoch bei-
kommen. Falten Sie das Papier sorgfältig entlang
der Mittellinie. Legen Sie es mit der Oberseite
nach unten auf einen Leuchttisch. Sie können
jetzt auf die fertige rechte Seite durchsehen, also
zeichnen Sie sie nach und stellen Sie auch die
rechte Seite fertig. Das ist einfach und ganz
genau. Die Skizze ist nun komplett.

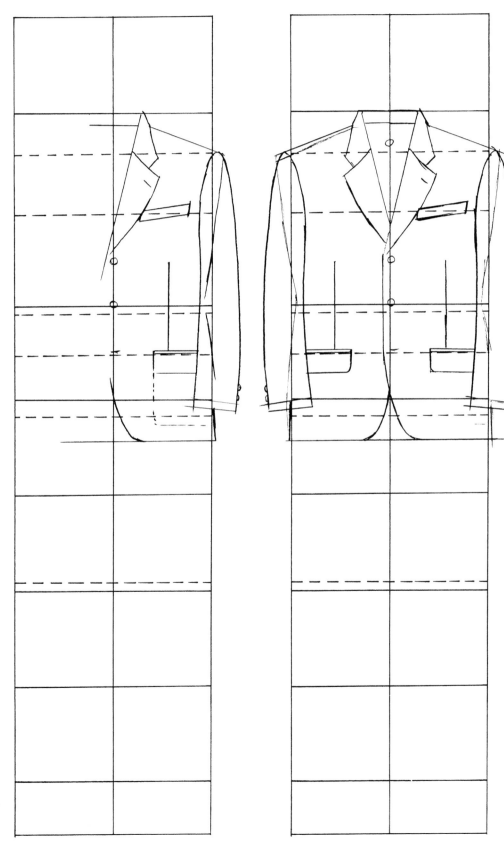

(3) Add the details.
Notched lapel. Single-breasted (one row of
buttons). Two of the three buttons are buttoned.
Darts are necessary for the shape of the waist.
The pockets are top-stitched and have flaps.
Balance them with their size in mind. The top
of the pocket is generally aligned with the
lowest button. In addition, it is a basic rule that
the total number of buttons on the front and
sleeve should be odd. Since there are three
buttons on the front here, each sleeve should
have two. The righthand draft is now complete.

(4) The left side. Although it is relatively
difficult to draw both sides symmetrically, a
simple idea will make it much easier. Carefully
fold the paper at the center line. Place it on a
tracing table facing down. You will be able to
see through to the completed right side, so trace
it, completing the left side. This way is easy
and accurate. Your draft is now complete.

(5)
① Zeichnen Sie die Rückenansicht. Legen Sie ein Blatt Pauspapier über die fertige Skizze der Vorderansicht und zeichnen Sie die Umrisse der rechten Hälfte nach.
② Die Ärmel verdecken zwar teilweise bei der Vorderansicht die Silhouette, Sie müssen jedoch nun die Umrisse zeichnen. Zeichnen Sie gleichmäßige Linien und verjüngen Sie den Taillenbereich etwas.
③ Fügen Sie die Details hinzu. Wir haben hier einen Schlitz in der Mitte gewählt. Es gibt zwar mittlerweile viele Stilarten ohne Schlitz, in diesem Fall jedoch, bei einem so klassischen, einreihigen Jackett mit fallendem Revers und drei Knöpfen, ist ein Schlitz unabdingbar.
④ Vervollständigen Sie die Rückenansicht genauso wie die Vorderansicht und pausen Sie die rechte Seite durch, um die linke zu erhalten.

(6)
① Jetzt folgt die Tuschezeichnung. Kleben Sie Vorder- und Rückenansicht mit Kreppband so aufeinander, daß die Mittellinien übereinstimmen.

② Kopieren Sie den Entwurf. Das Entwurfpapier (besonders Pauspapier) wird oft schmutzig, wenn man mit der Hand die Bleistiftlinien ausradiert. Beim Durchpausen kann das Kentpapier für die Tuschezeichnung ebenfalls schmutzig werden. Achten Sie darauf, daß die fertige Bügeldarstellung sauber, ohne Fingerabdrücke usw. ist.
③ Heften Sie den kopierten Entwurf und das Kentpapier mit Kreppband oder Büroklammern zusammen. Das verhindert, daß sich der Entwurf beim Zeichnen verschiebt.
④ Zeichnen Sie die Umrisse mit einem 0,5 mm Tuschestift und die Nähte mit einem 0,2 mm Tuschestift. Man kann die Nähte zwar mittels einer gepunkteten Linie darstellen, das ist jedoch zeitaufwendig und die fertige Illustration kann unsauber wirken, wenn man mit der Technik nicht vertraut ist. Die Nähte sind Teil des Designs. Schauen Sie sich eines Ihrer Jacketts als Beispiel an, wenn Sie die Nähte hineinzeichnen. Sorgen Sie dafür, daß die Nähte von der Vorderseite des Jackets zum Saum bis zu dem Punkt laufen, an dem der Stoff in den Saum eingeschlagen wird. Die Zeichnung ist jetzt fertig.

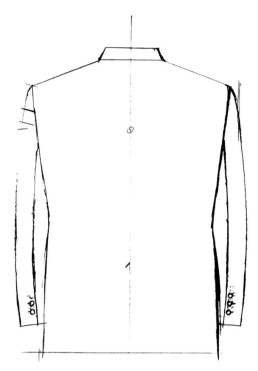

(5)
① *Draw the back view. Place a sheet of tracing paper over the completed frontal view draft, and trace the right side's outline.*
② *Although the sleeves partially hide the silhouette in the frontal view, you must now draw the outline. Use smooth lines and slighty taper the waist.*
③ *Add the details. We have chosen a center vent here. Although there are many styles without a vent recently, it is essential to have one in such traditional, single-breasted, notched lapel, three-button jacket styles.*
④ *Complete the back view as you did with the front, tracing the right side to finish the left.*

(6)
① *Add ink. Secure the frontal view and back style with masking tape so that the center lines are aligned.*
② *Copy the draft. The draft paper (especially tracing paper) often becomes dirty from the hand rubbing the pencil lines. If traced, the Kent paper for inking may also become dirty. Make sure that the completed hanger illustration is clean, without finger prints and so forth.*
③ *Secure the copied draft and Kent paper with clips or masking tape. This avoids the draft from moving while drawing the image.*
④ *Ink in the outline with a 0.5mm draft pen and the stitches with a 0.2mm. Although it is possible to draw the stitches using dotted lines, it is time-consuming and the finished illustration becomes messy if you are not familiar with the technique. The stitching is part of the design. Use your own jacket as reference when adding the stitches. Make sure that the stitches from the front of the jacket leading to the hem of the body continue to the area where the fabric is folded under at the hem. The drawing is now complete.*

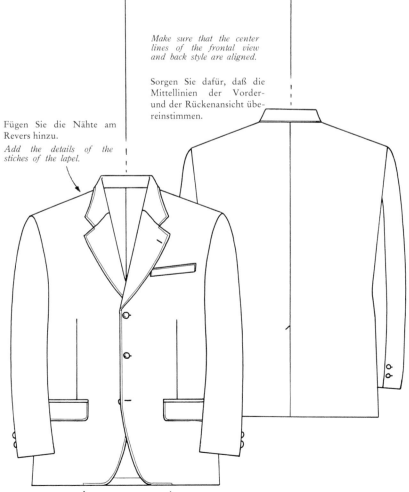

Make sure that the center lines of the frontal view and back style are aligned.

Sorgen Sie dafür, daß die Mittellinien der Vorder- und der Rückenansicht übereinstimmen.

Fügen Sie die Nähte am Revers hinzu.
Add the details of the stiches of the lapel.

Achten Sie besonders auf die Position der Nähte.
Take extra care to the position of the stiches.

● Bügeldarstellung verschiedener Kleidungsstücke

① Doppelreihiges Jackett
Der Kragen besteht aus einem aufsteigenden Revers, die Knöpfe laufen auseinander und die Taillierung ist stärker als bei einem einreihigen Jackett. Die Silhouette geht in Richtung der Y-Linie. Man könnte sagen, daß der Einreiher eher englisch, der Zweireiher dagegen eher italienisch ist.

● Hanger Illustrations for Different Items

① *Double-breasted Jacket*
The collar is a peaked lapel, the buttons are spread out, and the waist has more shape than the single-breasted jacket. The image is more of a Y-line. It can be said that the single-breasted is more English, and the double-breasted variety Italian.

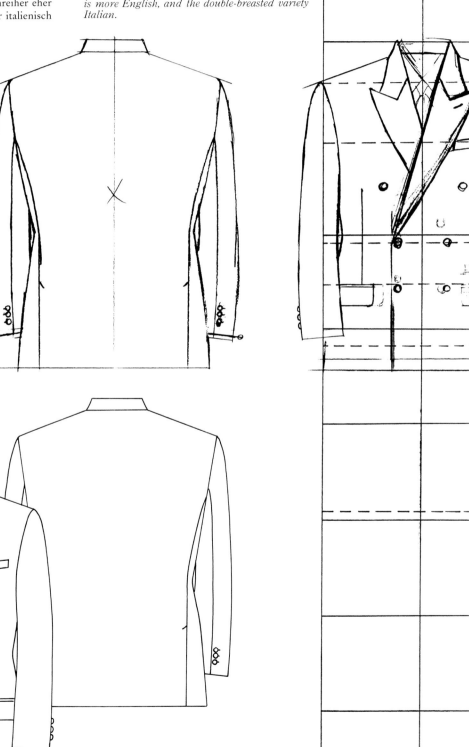

② Hemd mit normalem Kragen
Beim Entwurf eines Hemdes sind die Form von Kragen, Manschetten, Tasche und Umriß (Silhouette) wichtig. Der Entwurf des Kragens ist maßgeblich für den endgültigen Eindruck. Hier ist auch an Polohemden zu denken.

② *Regular Collared Shirt*
The important points to consider when designing a shirt are the shape of the collar, cuffs, pocket, and volume (silhouette). The collar's design determines the omage of the outcome. There are also polo shirts to consider.

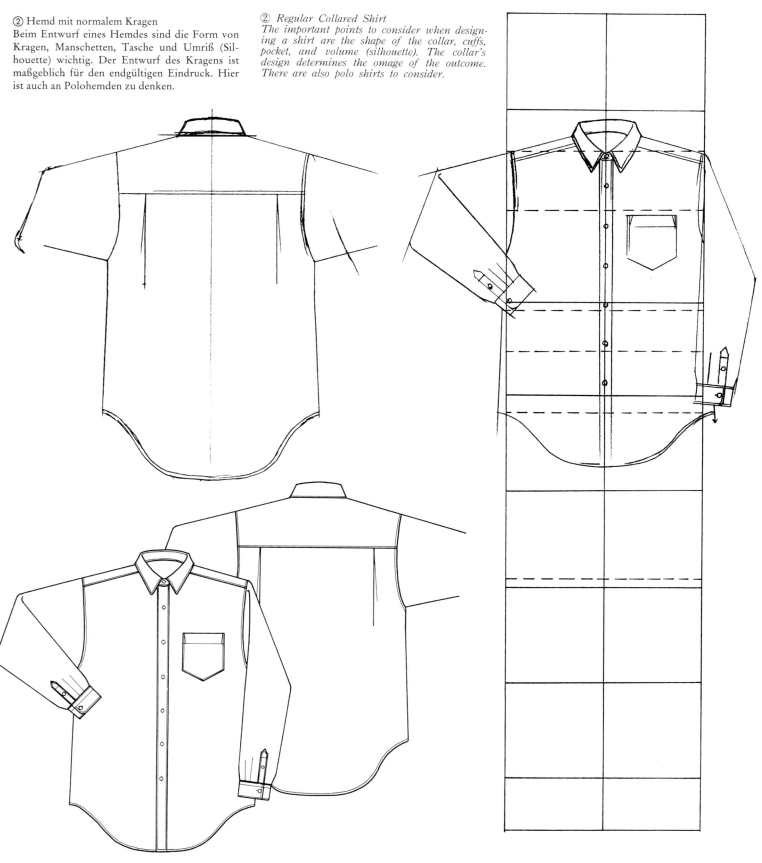

③ Kapuzenhemd
Dieses Kleidungsstück darf in der heutigen sportlich-lässigen Zeit nicht vergessen werden. Kapuzenhemden können gut mit anderen Kleidungsstücken kombiniert werden und als Drunter oder Drüber getragen werden. Sie können ein Kapuzenhemd unter einer Jacke tragen, und mit Jeans und Hosen aus Baumwolltwill ist es perfekt.

③ *Parkas*
This is an item that cannot be forgotten in today's carefree society. Parkas are easy to combine with other clothes, and can be worn as inner or outer garments. You can wear a parka under a jacket, and of course parkas are perfect with jeans and chino pants.

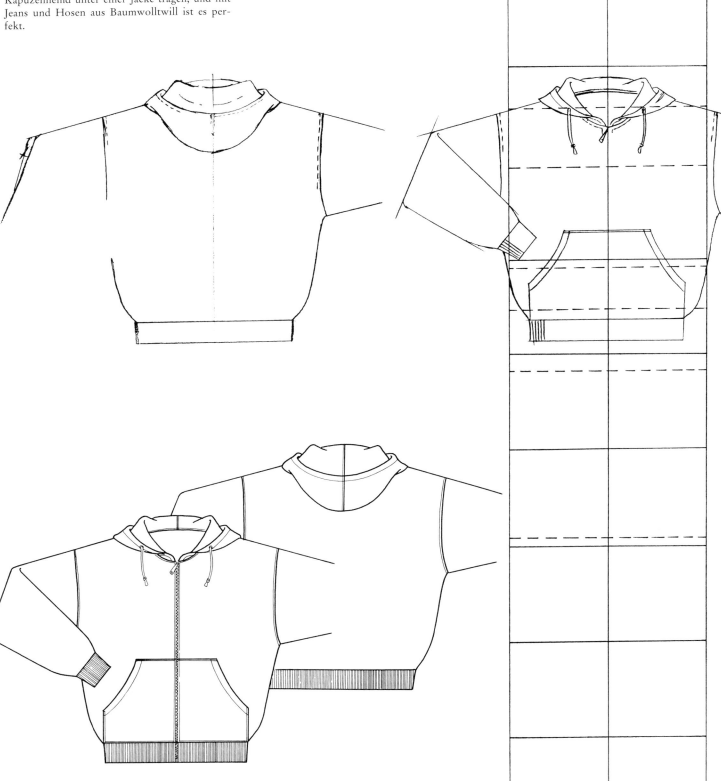

④ Klassische Tennispullover
Am Rand des V-Ausschnittes macht sich Farbe besonders gut. Achten Sie auf das gestrickte Zopfmuster.

④ *Classic Tennis Sweaters*
The use of color at the V-neck line is beautiful.
Pay attention to the cable knit texture.

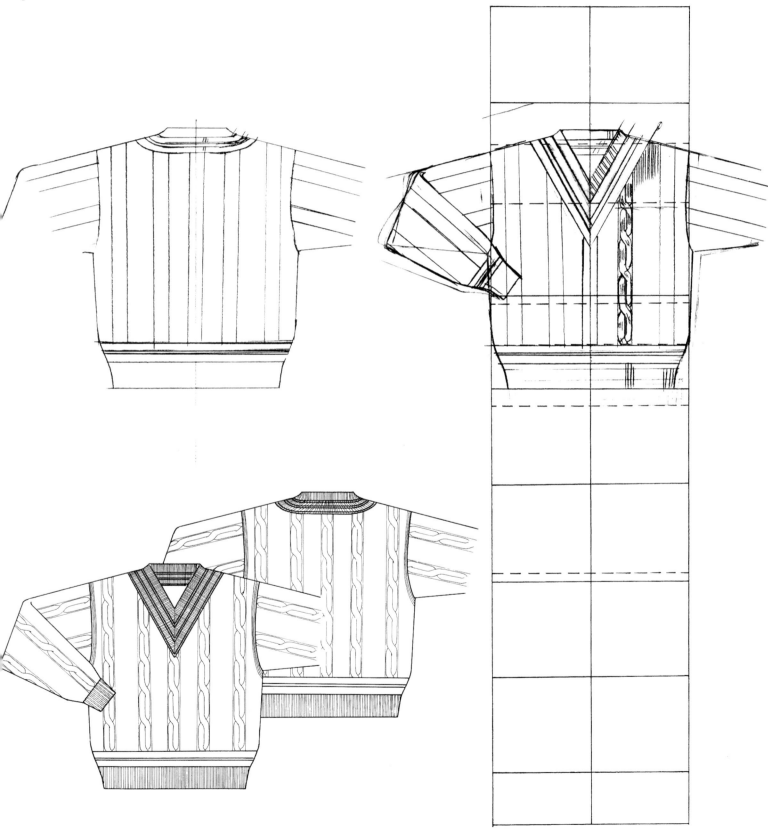

⑤ Bomberjacke MA-1
Das ist die tolle Jacke, die zum B-15-Stil führte.
Da sie für US-Piloten in der engen Flugzeugkan-
zel konzipiert wurde, ist sie in höchstem Grade
funktionell. Bomberjacken sind heutzutage als
Freizeitkleidung sehr beliebt.

⑤ *Flight Jacket MA-1*
This is the ultimate jacket, one that led to the
B-15 style. Since it was designed for U.S. pilots
to wear in a small cockpit, functionally it is
superior. Flight jackets are popular today as a
casual item.

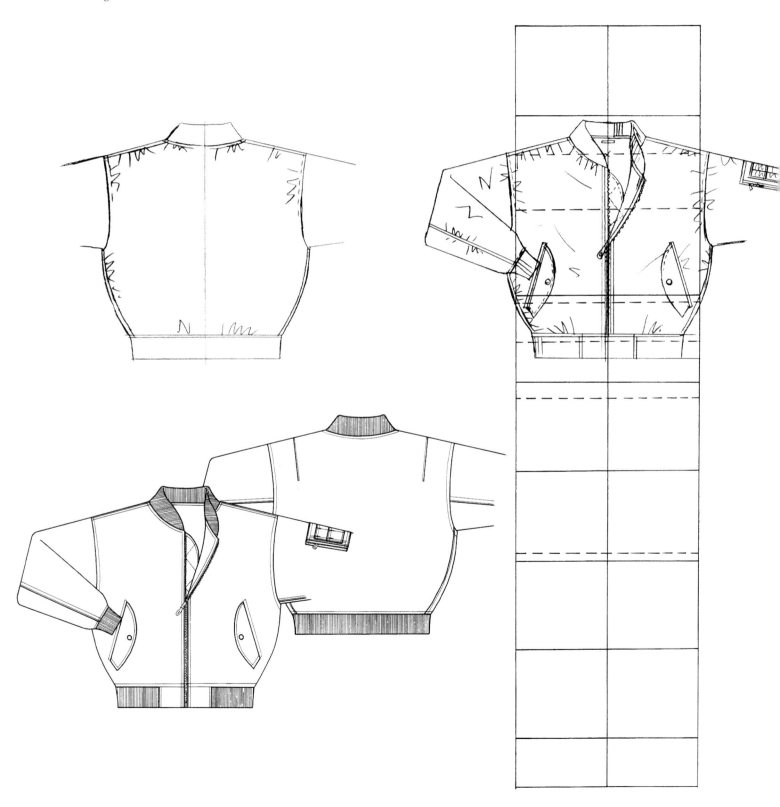

50

⑥ Hose mit zwei Bundfalten

Die sich verjüngende Silhouette ist an den Oberschenkeln weit und wird zum Saum hin schmaler. Da die Taille relativ hoch ist, muß der Bund bei Erstellung des Entwurfs etwas oberhalb der Taillenlinie eingezeichnet werden. Auch ist wichtig, daß der Schritt nicht zu flach ist, sonst erinnert der Look an eine Reithose.

⑥ *Two-tuck Slacks*
The tapered line is wide at the thighs and slowly narrows towards the hem. Since the waist is relatively high, make sure that the belt is drawn slightly above the waist line when drawing the draft. It is also important to be careful that the crotch is not too shallow, since this will result in a look similar to riding pants.

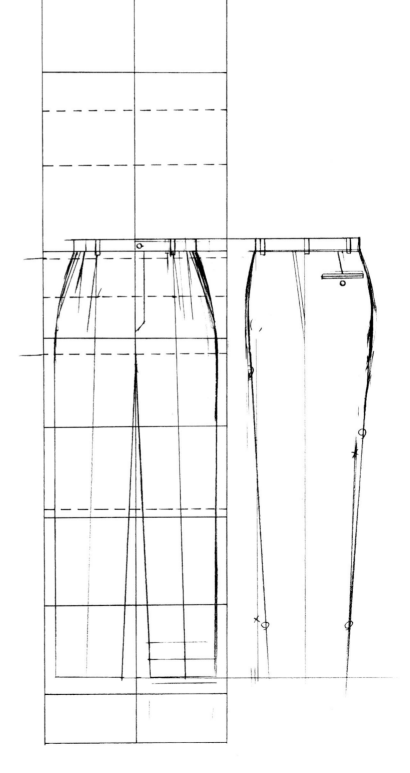

⑦ Jeans (Levi's 501 XX)

Das ist das Jeans-Original und ein grundlegendes Muß, wenn man mit der Mode gehen will. Der Umriß ist leicht o-beinig, es werden immer noch Knöpfe anstatt Reißverschluß verwendet, und das Material geht beim Waschen ein. Vielleicht klingt das wenig attraktiv, doch genau das zieht die Käufer an und ist das Geheimnis des Erfolgs von Levi's. Je länger man die Jeans trägt, desto bequemer wird sie, da sie sich in der Form ihrem Träger anpaßt. Bei keinem anderen Kleidungsstück würden verwaschene Farbe und Risse als Charakteristikum gelten.

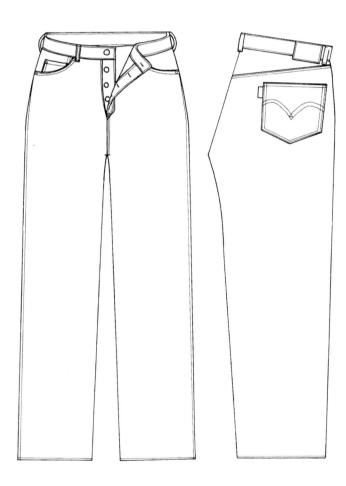

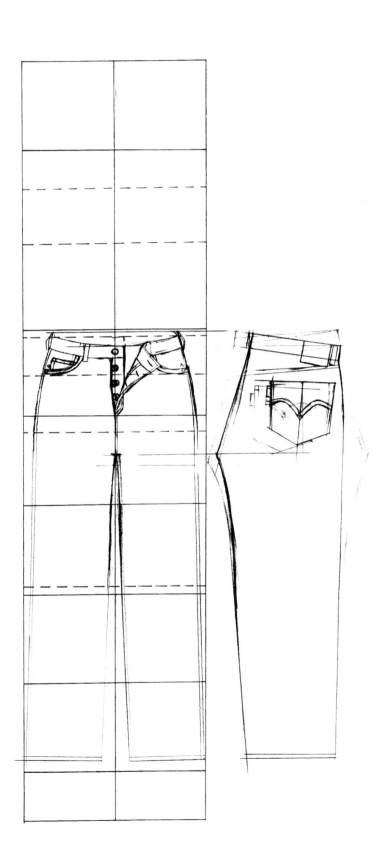

⑦ *Jeans (Levi's 501XX)*
There are the original jeans, and a basic, essential item if one wishes to be fashionable. The silhouette is slightly bowlegged, buttons are still used instead of a zipper, and the material shrinks when washed. This makes it sound undesirable, but this is what attracts people, and is the secret of Levi's magic. The more you wear the jeans, the more comfortable they become, since the shapes becomes that of the person wearing them. In no other clothes would faded color and tears become a unique feature.

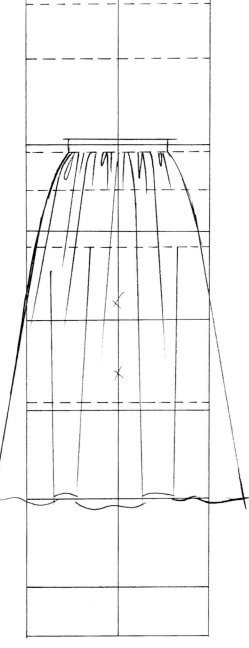

⑧ Langer Glockenrock
Zeichnet man einen langen, weiten Glockenrock, ist der Saum so wie hier darzustellen. Wenn wenig Volumen da ist, ziehen Sie fast gerade Linien, ohne allzu viele Bögen hinzuzufügen.

⑧ *Long Flared Skirt*
When drawing a full, flared skirt, the hem should be drawn as seen here. When there is little volume, use nearly straight lines, without adding too many curves.

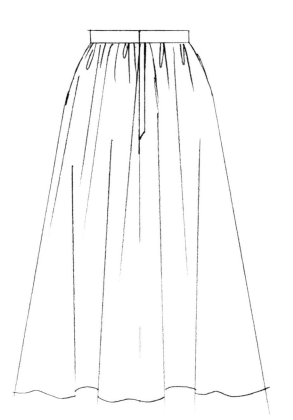

⑨ Enger Minirock
Achten Sie auf die Linie von der Taille zur Hüfte. Zeichnen Sie die Hüften wirklich in den Rahmen, bevor Sie sich Gedanken über die Silhouette des Rocks machen.

⑨ *Mini Tight Skirt*
Pay attention to the line from waist to the hips. Actually illustrate the hips in the frame before considering the skirt's silhouette.

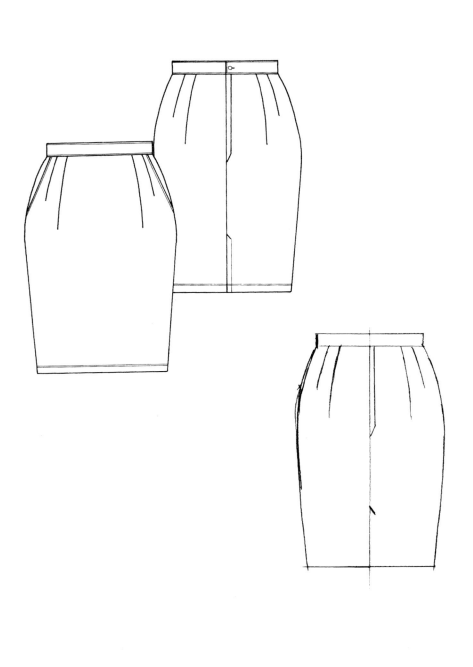

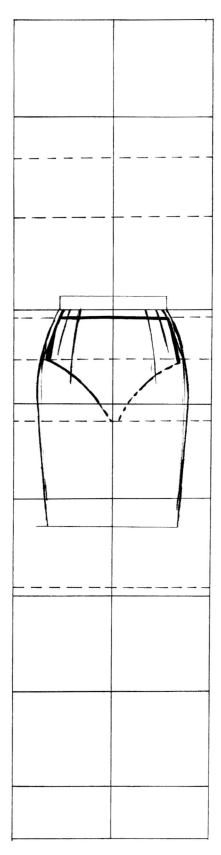

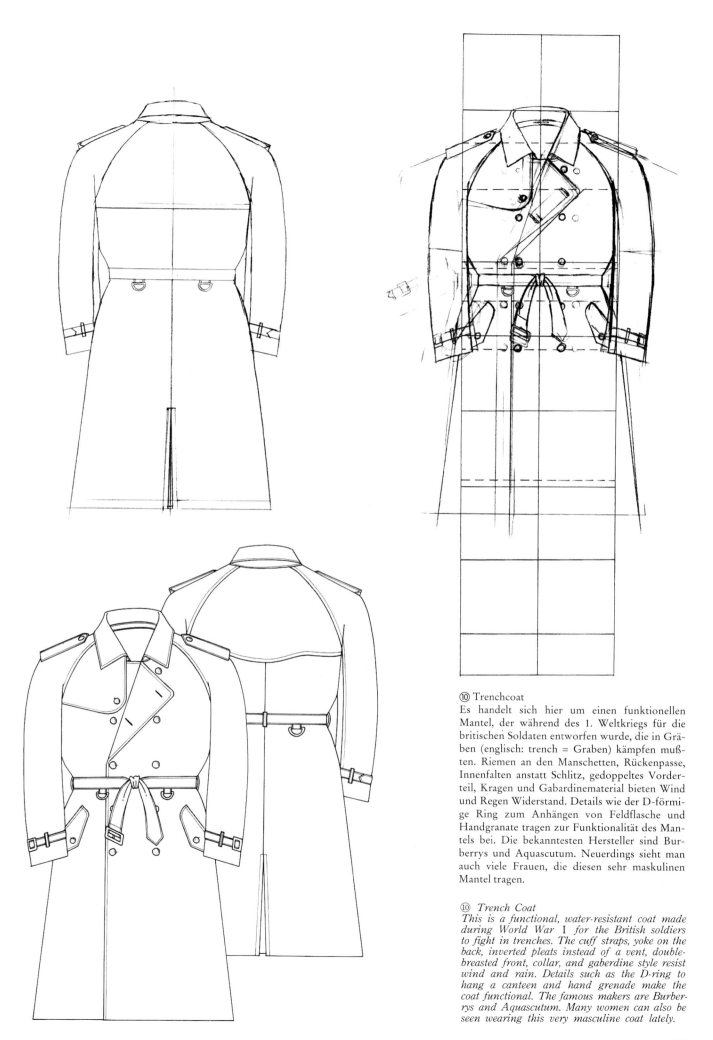

⑩ Trenchcoat

Es handelt sich hier um einen funktionellen Mantel, der während des 1. Weltkriegs für die britischen Soldaten entworfen wurde, die in Gräben (englisch: trench = Graben) kämpfen mußten. Riemen an den Manschetten, Rückenpasse, Innenfalten anstatt Schlitz, gedoppeltes Vorderteil, Kragen und Gabardinematerial bieten Wind und Regen Widerstand. Details wie der D-förmige Ring zum Anhängen von Feldflasche und Handgranate tragen zur Funktionalität des Mantels bei. Die bekanntesten Hersteller sind Burberrys und Aquascutum. Neuerdings sieht man auch viele Frauen, die diesen sehr maskulinen Mantel tragen.

⑩ *Trench Coat*
This is a functional, water-resistant coat made during World War 1 for the British soldiers to fight in trenches. The cuff straps, yoke on the back, inverted pleats instead of a vent, double-breasted front, collar, and gaberdine style resist wind and rain. Details such as the D-ring to hang a canteen and hand grenade make the coat functional. The famous makers are Burberrys and Aquascutum. Many women can also be seen wearing this very masculine coat lately.

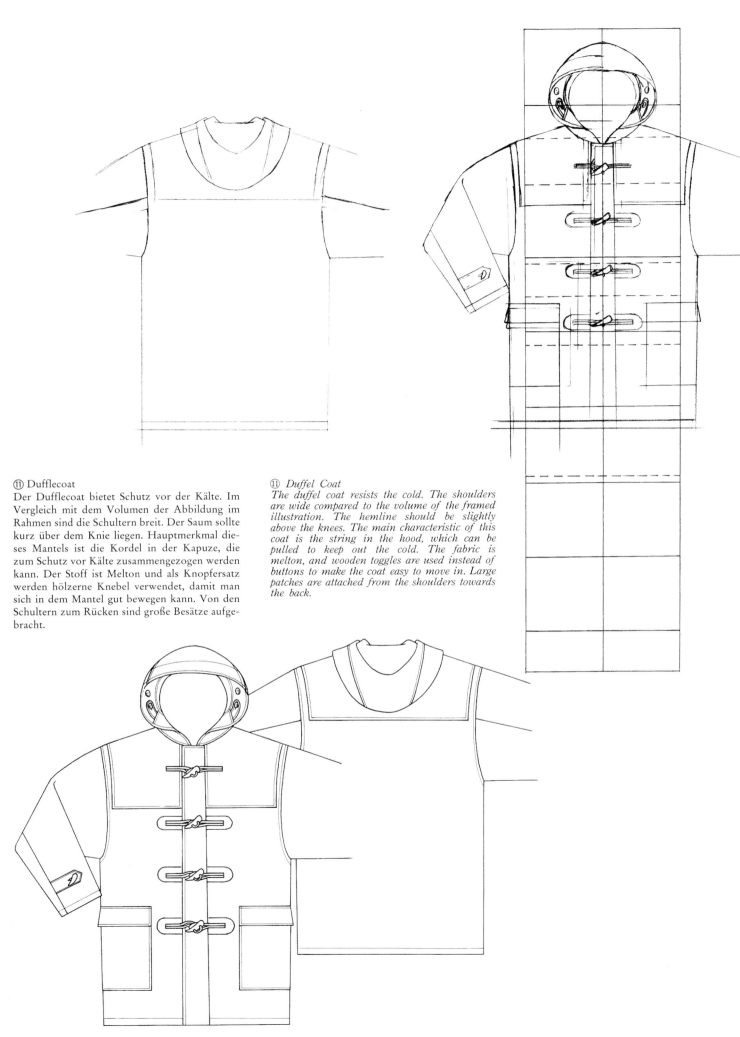

⑪ Dufflecoat

Der Dufflecoat bietet Schutz vor der Kälte. Im Vergleich mit dem Volumen der Abbildung im Rahmen sind die Schultern breit. Der Saum sollte kurz über dem Knie liegen. Hauptmerkmal dieses Mantels ist die Kordel in der Kapuze, die zum Schutz vor Kälte zusammengezogen werden kann. Der Stoff ist Melton und als Knopfersatz werden hölzerne Knebel verwendet, damit man sich in dem Mantel gut bewegen kann. Von den Schultern zum Rücken sind große Besätze aufgebracht.

⑪ *Duffel Coat*
The duffel coat resists the cold. The shoulders are wide compared to the volume of the framed illustration. The hemline should be slightly above the knees. The main characteristic of this coat is the string in the hood, which can be pulled to keep out the cold. The fabric is melton, and wooden toggles are used instead of buttons to make the coat easy to move in. Large patches are attached from the shoulders towards the back.

● Darstellung von Materialien

Zeichnen Sie die Bügeldarstellungen und stellen Sie dabei das verwendete Material dar. Ein und derselbe Entwurf kann eine vollkommen andere Wirkung haben, wenn das Material geändert wird. So stehen beispielsweise Wolle und Seide für verschiedene Stoffgewichte, Jahreszeiten und Impressionen. Anders ausgedrückt werden sich Ihre Entwurfsmöglichkeiten um ein Vielfaches vergrößern, wenn Sie das Material genau darstellen können.

● Drawing Textiles

Paint the hanger illustrations, expressing the texture of the material. The same design is given a completely different expression by altering the material. For example, linen and wool express different weights of fabric, seasons, and images. In other words, by being able to fully express the material, your range of designs will greatly be expanded.

✴ Tweed

Bereitlegen: Marker, Kentpapier, Kentpapier für Farbproben, transparente Wasserfarben, Pinsel.

✴ *Drawing Tweed*

Things to prepare : Marker, Kent paper, Kent paper for testing color, transparent water colors, feature brush.

---

① I. Bestimmen Sie die Grundfarbe.
Wählen Sie einen Marker in einer Farbe, die Ihnen gefällt, und machen Sie eine Farbprobe auf Kentpapier. Manchmal muß man mehrere Schichten auftragen, bis die gewünschte Farbe erreicht ist. Können Sie die gewünschte Farbe nicht mit Markern erzielen, verwenden Sie Wasserfarben. Dabei sollten Sie viel Farbe anrühren, damit sie ihnen während des Zeichnens nicht ausgeht. Besonders wichtig ist das, wenn Sie mehrere Farben mischen, denn es ist schwierig, ein zweites Mal den gleichen Farbton zu erzielen. Seien Sie also vorsichtig.

II. Haben Sie die Grundfarbe gewählt, dann tragen Sie sie auf. Wenn Sie zwei Farbschichten parallel zum Fadenlauf des Stoffes auftragen (vertikal), wird die Oberfläche nicht fleckig und die Farben kommen schön heraus.

① I. *Choose the color of the base.*
Select a marker in the color that you like and test it on some Kent paper. In some cases it will be necessary to apply several coats to obtain the color that you want. If it is not possible to create the desired color with markers, use water colors. When doing so, mix plenty of paint so that you do not run out while drawing the illustration. This is especially the case when mixing several colors, since it is difficult to obtain the same result a second time. Be careful.

II. *Apply the base color once you have chosen it. By applying two coats of paint parallel to the grain of fabric (vertical), you will be able to avoid a blotchy finish, and the colors will be beautiful.*

---

② I. Um eine Frau von 175 cm Körpergröße als Abbildung in der Höhe von 32 cm darzustellen, muß auch das Stoffmuster im Maßstab 1:5 gezeichnet werden. Wenn Sie ein Kleidungsstück aus Tweed haben, hängen Sie es in einer Entfernung von etwa 2 m auf und verwenden Sie es als Vorlage. Achten Sie darauf, es nicht dicht vor Augen zu haben und nicht jede einzelne Noppe zu zeichnen.

II. Stellen Sie die Tweedstruktur mit Wasserfarben dar. Mischen Sie mit Wasserfarbe einen Farbton, der etwas dunkler als die Grundfarbe ist.

III. Drehen Sie, wie auf dem Foto ersichtlich, die Spitze des Pinsels auf, benetzen Sie ihn mit Farbe und tupfen Sie die Farbe aufs Papier, um die Struktur wiederzugeben. Die Punkte sollten ca. 0,5 mm groß sein.

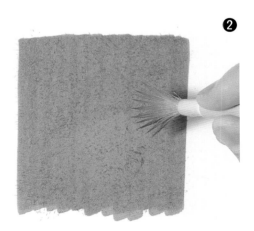

② I. *In order to express a 175cm-tall woman as a 32cm illustration, it is necessary to also draw the pattern in a 1/5 scale. If you have a tweed outfit, hang it on a hanger about 2m away from you, and use it as reference. Make sure you do not bring it close to you and draw each nap.*

II. *Express the tweed's texture with water colors. Make a color darker than the base with water colors.*

III. *As shown in the photo, loosen the tip of the feature brush, dip it in the paint, and dab the color on the paper to express the texture. Each dot should be approximately 0.5mm.*

③ Mischen Sie eine Farbe, die noch dunkler als der Stoff ist und tupfen Sie sie aufs Papier.

③ *Make a color even darker than the texture, and dab it onto the paper.*

④ Verwenden Sie Senfgelb, Rot, Grün usw, um dem Ganzen mehr Farbe zu geben. Wenn Sie fertig sind, sollte von der Grundfarbe nicht mehr viel zu sehen sein.

④ *Use a mustard, red, green, and so forth to add color. You should not be able to see much of the base color when finished.*

⑤ Tragen Sie mit einem schwarzen Buntstift noch mehr Farbe auf.

⑤ *Use a black pencil to add color.*

⑥ Zur Vervollständigung des Musters fügen Sie jetzt noch akzentuierendes Weiß hinzu.

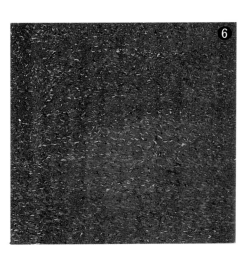

⑥ *Add accent with a white color to complete the illustration.*

[1] Streifen

① Tragen Sie die Grundfarbe auf und fügen Sie dann die Streifen hinzu. Die Streifen sollten parallel zum vertikalen Fadenlauf des Stoffes verlaufen. Ziehen Sie mit einem Bleistift Hilfslinien, damit die Abstände gleichmäßig sind.

[1] Stripes

① Apply the base color, and then add the stripes. The stripes should be parallel with the vertical grain of fabric. Use a pencil to draw temporary lines so that the spacing will the uniform.

[2] Bordüren

Diese horizontalen Streifen werden genauso wie die vertikalen Streifen gezeichnet.

② Make sure that the width does not vary. Practice using the free-hand method whenever possible. Steady your wrist and use your elbow to draw straight lines.

② Achten Sie darauf, daß keine Abweichungen in der Breite auftreten. Üben Sie bei jeder möglichen Gelegenheit freihändiges Zeichnen. Halten Sie das Handgelenk ruhig und benutzen Sie den Ellenbogen, um gerade Linien zu zeichnen.

[2] Borders

These horizontal lines should be drawn the same way as the vertical stripes.

[3] Punkte

① Nach Auftrag der Grundfarbe zeichnen Sie mit einem Bleistift ein Gitter.

② Vervollständigen Sie das Muster, indem Sie Punkte an die Stellen zeichnen, an denen sich die Linien überschneiden.

[3] Dots

① After applying base color, use a pencil to draw grids.

② Complete the design by applying dots to the points where the lines cross.

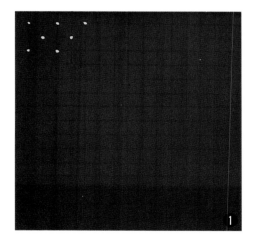

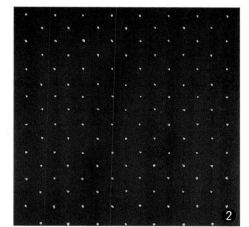

[4] Punktvariationen

Für Variationen verändern Sie die Größe der Punkte, üben Sie die zufällige Verteilung der Punkte, ändern Sie deren Größe und so weiter.

[4] Dot Variations

Vary the size of dots to create variations. Practice applying dots randomly, vary the size of dots, and so forth.

[5] Schottenmuster

① Tragen Sie die Grundfarbe gleichmäßig auf.

② I. Zeichnen Sie Hilfslininen, die später für das Muster hilfreich sind. Es ist zu diesem Zeitpunkt wichtig, die Farbe festzulegen, auf der die Hauptbetonung liegt. Bei unserem Beispiel ist blau die Schlüsselfarbe.
   II. Ziehen Sie feine schwarze Linien zwischen den ausgeprägten blauen Hauptlinien. Benutzen Sie dazu einen ganz feinen Filzstift.
   III. Zeichnen Sie erst die blauen, dann die gelben Linien. Verwenden Sie hierfür transparente Farben auf Wasserbasis.

③ Hier sehen Sie ein Bild, auf dem die oben beschriebenen Schritte bereits erfolgt sind. Denken Sie bitte daran, daß zugunsten eines sauberen Gesamteindrucks normalerweise die hellen Farben zuerst und die dunklen später aufgetragen werden.

④ Fügen Sie weiße Linien hinzu, dann ist das Muster fertig.

[5] *Tartan Checks*

① *Apply the base color evenly.*

② I . *Draw temporaly lines that will later assist you to draw the pattern. It is important to decide at this point which color will be stressed. In this example, blue is the key color.*
II . *Place to fine black lines between the bold blue ones. Use a very fine felt-tip pen.*
III . *Draw the blue line and then the yellow. Use transparent water-based colors.*

③ *We have shown here an illustration with the above steps completed. In general, remember to apply the light colors first and then the dark colored checks for a clean finish.*

④ *Add the white lines to complete the illustration.*

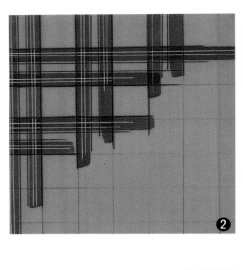

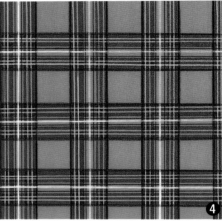

[7] Burberry-Karo

[7] *Burberry Checks*

[6] Variationen des Schottenmusters

Diese Muster werden auch "Clan-Plaids" genannt. Sie symbolisieren die alten schottischen Clans, von denen jeder ein eigenes Muster und eine eigene Bezeichnung für das Plaidtuch hat.

Reihenfolge beim Zeichnen der Karos:
a. marineblaue Kaos
b. grüne Karos
c. dunkelgrüne Karos
d. schwarze Linien
e. breite weiße Linien
f. marineblaue Linien über weiß
g. Komplettierung durch gelbe und rote Linien

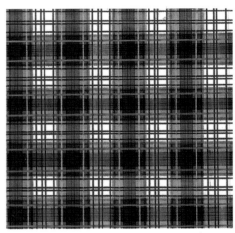

[6] *Tartan Check Variations*

These patterns are also called clan plaids, simbolizing the old scottish clans. Each clan has its own pattern and name for the particular plaid.

Order for drawing checks :
a. Navy blue checks
b. Green checks
c. Dark green checks
d. Black lines
e. Bold white
f. Navy blue lines over the white
g. Finish by applying yellow and red lines

[8] Hahnentrittmuster

① Zeichnen Sie mit dem Bleistift ein Gitter. Das Muster wird mit dem Schnittpunkt der Gitterlinien als Mittelpunkt gezeichnet. Anhand obiger Abbildung können Sie üben.

② Das kleine Muster ist knifflig, versuchen Sie jedoch, so sorgfältig wie möglich zu zeichnen. Sonst fällt das Endresultat ganz anders aus.

③ Das Muster ist fertig. Der Name stammt von der Form des Musters, das den Fußspuren eines Hahnes ähnelt.

 ❶

[8] Hound's-tooth Cheks

① Draw penciled grids. Checks are drawn with the crossing points as the center. Refer to the above illustration to practice.

② The small checks are very difficult, but try to draw them as carefuly as possible. The finished result will be completely different if you do not.

③ The pattern is finished. The name comes from the shape of the checks. Similar to that of the pointed teeth of a dog.

 ❷

 ❸

[9] Glencheck

① Ziehen Sie mit einem Bleistift Hilfslinien.

② Fügen Sie weitere Linien mit einem schwarzen Buntstift hinzu.

③ Vervollständigen Sie das Muster, indem sie an den Schnittpunkten der Linien Hahnentrittmuster zeichnen. Die feinen Linien wurden mit dem Bleistift gezeichnet. Glencheck ist eine vereinfachte Form des Schottenkaros.

❶

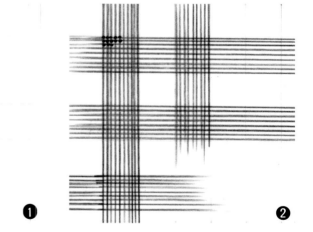 ❷

[9] Glen Checks

① Use a pencil to draw approximate lines.

② Add lines using a black colored pencil.

③ Complete the pattern by drawing hound's-tooth checks where the lines cross. The fine lines are the pencil lines. Glen checks are an abbreviation for scotland's checks.

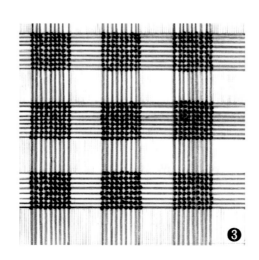 ❸

[10] Jeans

① Tragen Sie die Grundfarbe auf und fügen Sie die Struktur mit weißer Plakatfarbe hinzu. Benutzen Sie dabei einen ganz feinen Pinsel.

② Die Abbildung zeigt weiße Plakatfarbe, die auf die gesamte Fläche aufgebracht wurde. Das Weiß springt zu stark ins Auge.

③ Tragen Sie nochmals die Grundfarbe (blau) auf, die sich mit dem Weiß mischt.

[*10*] Denim

① *Apply the base color and use a white poster color to add the pattern. Use a very fine brush.*

② *The illustration shows white poster color being applyed to the entire surface. The white is too striking.*

③ *Apply the base color (blue) again, blending in the white.*

[11] Kord

① Tragen Sie die Grundfarbe auf.

② Stellen Sie die charakteristische Oberfläche von Kord mit Hilfe eines Bleistifts dar.

③ Die Abbildung ist fertig. Sprühen Sie ein Fixiermittel auf, damit der Bleistift auf dem Papier haften bleibt.

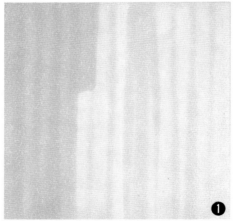

[*11*] Corduroy

① *Apply the base color.*

② *Express corduroy's caracteristic texture using a pencil.*

③ *The illustration is complete. Spray on a fixative to fix the pencil to the paper.*

[12] Seide

① Tragen Sie die Grundfarbe auf.

② Stellen Sie die charakteristische Oberfläche von Seide mit weißer Plakatfarbe dar. Zeichnen Sie winzige Striche.

③ Tragen Sie nochmals die Grundfarbe zur Vervollständigung der Abbildung auf.

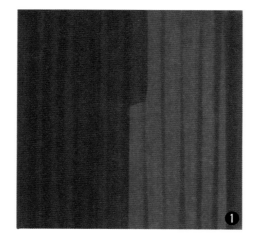

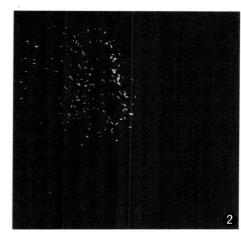

[12] Suede

① *Apply the base color.*

② *Express the texture of suede using a white poster color. Use small strokes.*

③ *Apply the base color again to finish the illustration.*

[13] Leinen

① Tragen Sie die Grundfarbe auf.

② Zeichnen Sie ein winziges Gitter mit weißer Farbe.

③ Tragen Sie nochmals die Grundfarbe zur Vervollständigung der Abbildung auf. Sie sollte nun den Eindruck von Stumpfheit vermitteln.

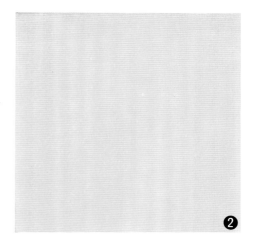

[13] Linen

① *Apply the base color.*

② *Draw in minute grids with a white color.*

③ *Apply the base color again to complete the drawing. The finished look should be crisp.*

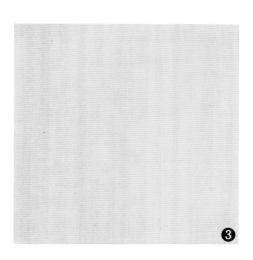

[14] Wattierte Steppstoffe

① I. Zeichnen Sie mit einem Stift ein schräges Gitter

    II. Legen Sie jedes Quadrat wie auf dem Bild farbig an.

② Tragen Sie ein helleres Grün als die Grundfarbe auf der gesamten Fläche auf. Wiederholen Sie dies.

③ Hier haben wir eine vergrößerte Darstellung. Das hellere Grün hat das dunklere verblassen lassen, tragen Sie also das dunkle Grün nochmals auf, um eine bessere Akzentuierung zu erzielen.

④ Tragen Sie links in jedem Quadrat Grau auf, um die Schatten auszudrücken und eine plastischere Darstellung zu erreichen.

⑤ Tragen Sie weiße Plakatfarbe für den Glanz auf.

⑥ Die Abbildung ist fertig.

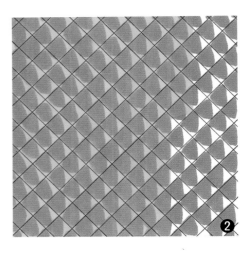

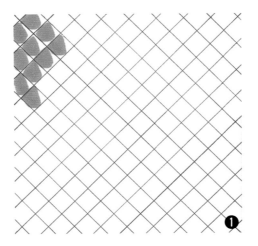

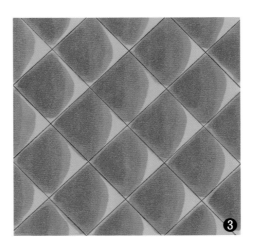

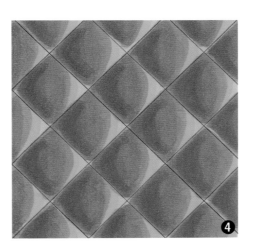

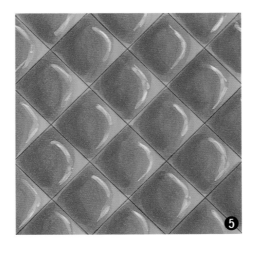

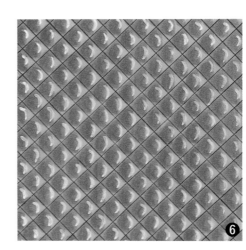

[14] Quilting

① I. Use a pen to draw in grids on the bias.

    II. Add color to each square.

② Apply a lighter green than the base green to the entire surface. Repeat.

③ This is an enlarged image. The lighter green has made the darker green fade, so apply the dark green onece again to add accent.

④ Apply gray to the left of each square, expressing shadows and accentuating the image.

⑤ Apply a white poster color to express luster.

⑥ The illustration is complete.

[15] Fischgrätmuster (Frühjahr)

① Tragen Sie die Grundfarbe auf.

② Zeichnen Sie das Muster mit einem Bleistift. Für das abschließende Muster verwenden Sie einen braunen Buntstift.

③ Die Abbildung ist jetzt fertig.

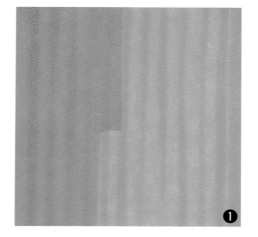

$\begin{bmatrix} 15 \end{bmatrix}$ Herringbone (Spring)

① Apply the base color.

② Use a pencil to draw the pattern. Use a brown colored pencil to draw the final pattern.

③ The illustration is now complete.

[16] Fischgrätmuster (Winter)

① Zeichen Sie das Frühjahrs-Fischgrätmuster und verstärken Sie das Muster mit brauner Wasserfarbe.

② Sorgen Sie mit roter und blauer Wasserfarbe für mehr Ausdruckskraft.

③ Vervollständigen Sie das Muster wie Tweed. Achten Sie darauf, daß das empfindliche Muster nicht zerstört wird, wenn Sie sich zu sehr auf die Tweed-Struktur konzentrieren.

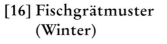

$\begin{bmatrix} 16 \end{bmatrix}$ Herringbone (Winter)

① Draw the spring herringbone and add to the pattern with a brown water color.

② Add accent with red and blue water colors.

③ Finish the fabric the same way as above. Pay attention so that the delicate pattern is not destroyed by concentrating too much on the texture of tweed.

[17] Pelz

① Tragen Sie die Grundfarbe auf.

② Zeichnen Sie die Pelzstruktur mit Wasserfarbe, die etwas dunkler als die Grundfarbe sein sollte.

③ Verwenden Sie für die Schatten einen noch dunkleren Ton.

④ Tragen Sie weiße Plakatfarbe an den hellen Bereichen auf.

⑤ Vervollständigen Sie das Muster, indem Sie mit einem schwarzen Stift Schatten einzeichnen.

[17] Fur

① *Apply the base color.*

② *Using a water color, draw the fur's texture using a color slightly darker than the base.*

③ *Use a darker shade to apply shadows.*

④ *Apply a white poster color to the light areas.*

⑤ *Finish the illustration by using a black pencil to apply shadows.*

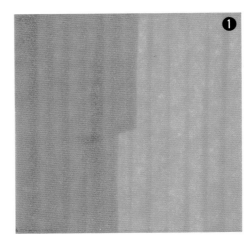

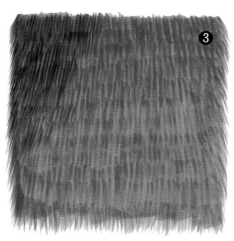

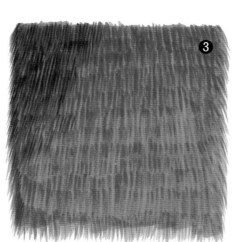

[18] Boa

Wenn Sie kürzeren und lockigeren Pelz darstellen wollen, verwenden Sie einen dicken Marker und tupfen damit auf das Papier. Tragen Sie nach der weißen Plakatfarbe nochmals die Grundfarbe auf, damit die Farben ineinander übergehen.

[18] Boa

In order to express the shorter and curlier fur, use a thick marker and tap it on the paper. After applying a white poster color, apply the base color again to blend the colors.

[19] Blumenmuster

① Zeichnen Sie das Muster mit einem Stift vor.

② Legen Sie die Blumen nacheinander farbig an.

③ Hier zeigen wir Ihnen die farbigen Blumen.

④ Legen Sie jetzt die Blätter farbig an.

⑤ Tragen Sie die Hintergrundfarbe auf.

⑥ Mit Weiß geben Sie dem Bild mehr Ausdruck und vervollständigen es.

[19] Floral Patterns

① *Draw the patters whith a pen.*

② *Apply color to the flowers in order.*

③ *We have shown the colored flowers here.*

④ *Apply color to the leaves.*

⑤ *Color the background.*

⑥ *Add accent and complete with white.*

[20] Strickwaren

① Zeichnen Sie die Struktur mit einem Stift auf.

② Tragen Sie die Grundfarbe auf.

③ Zur Darstellung der Strickstruktur verwenden Sie weiße Farbe. Benutzen Sie einen sehr feinen Pinsel, um die Struktur sorgfältig nachzubilden.

④ Legen Sie auch das Zopfmuster in Weiß an.

⑤ Tragen Sie die Grundfarbe nochmals auf, damit sie sich mit der weißen Farbe mischt.

⑥ Dreidimensionale Wirkung erreichen Sie bei den Zöpfen mit einem grauen Marker. Die Abbildung ist fertig.

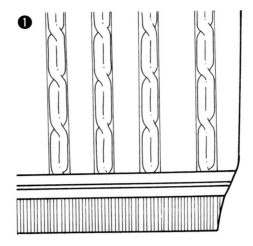

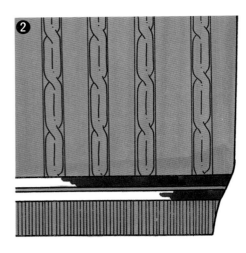

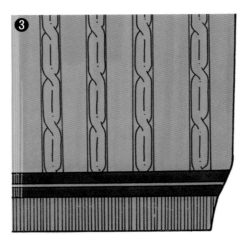

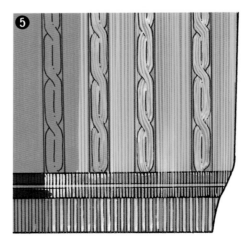

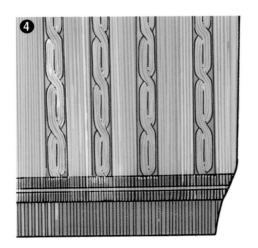

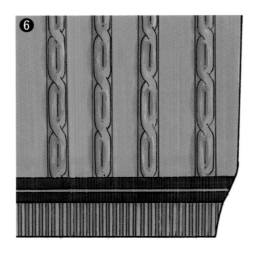

[20] Knits

① Draw the texture with a pen.

② Apply the base color.

③ Use a white color to express the texture of knit. Use a very fine brush to carefully draw the texture.

④ Color the cables with white, as well.

⑤ Apply the base color again, blending it with the white.

⑥ Use a gray marker to express the cables' three-dimensionality. The illustration is complete.

● Darstellung von Kleidungs-stücken auf Bügeln
(Farbige Darstellung)

Hanger Illustrations According to Item (Adding color)

* Zeichnen Sie das Kleidungsstück in Bügeldar-stellung. Achten Sie besonders auf den Fadenlauf. Fehler passieren leicht bei der Richtung am Revers, wenn man Jacketts zeichnet, lassen Sie hier also Sorgfalt walten.

* Draw the textile of the hanger illustration Pay special attention to the grain of fabric. It is easy to make a mistake with the lapel's grain when drawing jackets, so pay attention.

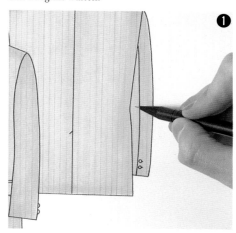

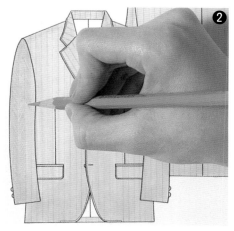

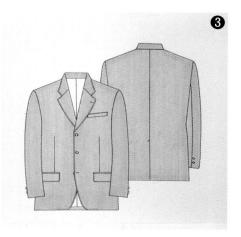

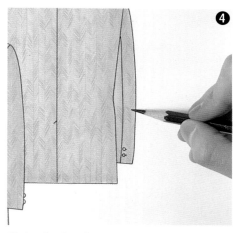

① Tragen Sie die Grundfarbe auf und zeichnen Sie die grundlegende Fischgrätstruktur mit einem
① *Apply the base color and use a pencil to draw the rough herringbone texture.*

② Mit einem Buntstift zeichnen Sie das Muster gleichmäßig ein.
② *Use a colored pencil to uniformly draw the pattern.*

③ Auf diesem Bild sehen Sie die Stoffstruktur.

③ *This illustration shows the texture.*

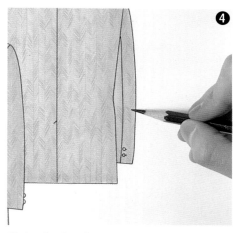

④ Ausdrucksvoller machen Sie die Abbildung, wenn Sie die Struktur sparsam mit einem dunkleren Farbton unterstreichen.
④ *Add accent by sparsely coloring the texture with a darker shade.*

⑥ Fügen Sie zur Vervollständigung Schatten hinzu. (Näheres auf S. 134 des Kapitels Spezielle Techniken: [3] Schattierung)
⑥ *Add shadows to complete the illustration. (Refer to p.134 of the Technique Guide : [3] Adding Shadows)*

(Einreihiges Jackett mit drei Knöpfen, Fischgrät)

(Single-breasted jacket with three buttons. Herringbone)

⑤ Kolorieren Sie die Innenseite.
⑤ *Color the background.*

❶

❷

② Achten Sie auf die Streifen am Revers.
② *Pay attention to the lapel's stripes.*

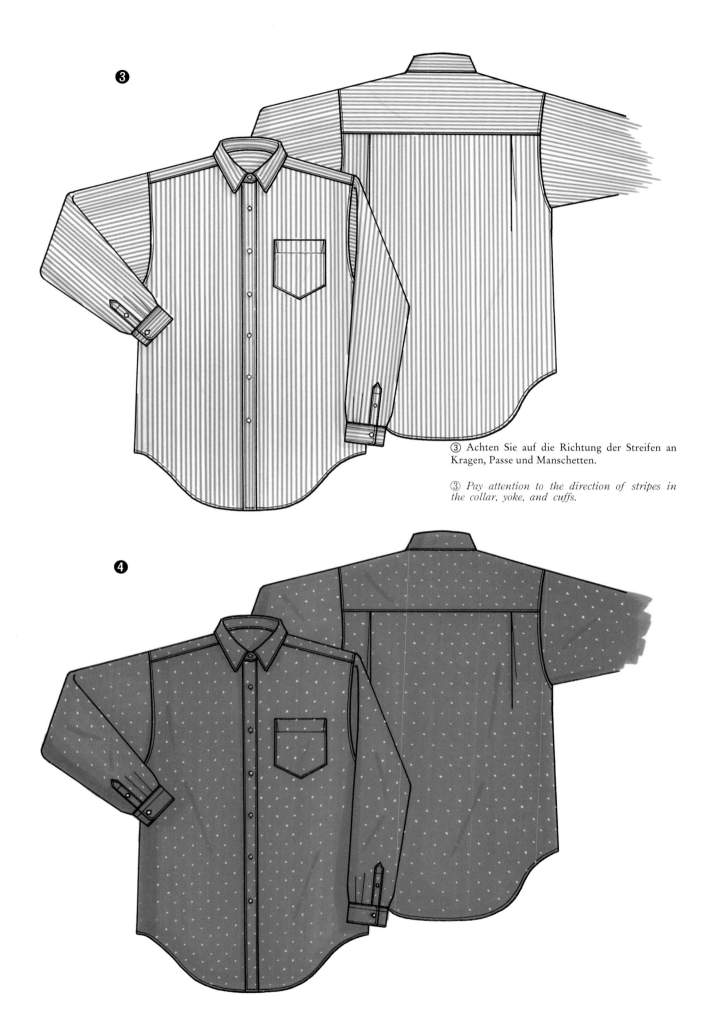

❸ Achten Sie auf die Richtung der Streifen an Kragen, Passe und Manschetten.

③ *Pay attention to the direction of stripes in the collar, yoke, and cuffs.*

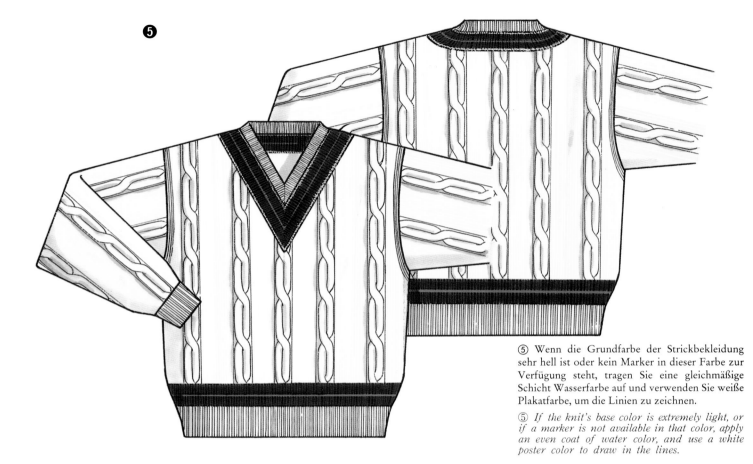

❺

❺ Wenn die Grundfarbe der Strickbekleidung sehr hell ist oder kein Marker in dieser Farbe zur Verfügung steht, tragen Sie eine gleichmäßige Schicht Wasserfarbe auf und verwenden Sie weiße Plakatfarbe, um die Linien zu zeichnen.

❺ *If the knit's base color is extremely light, or if a marker is not available in that color, apply an even coat of water color, and use a white poster color to draw in the lines.*

❻

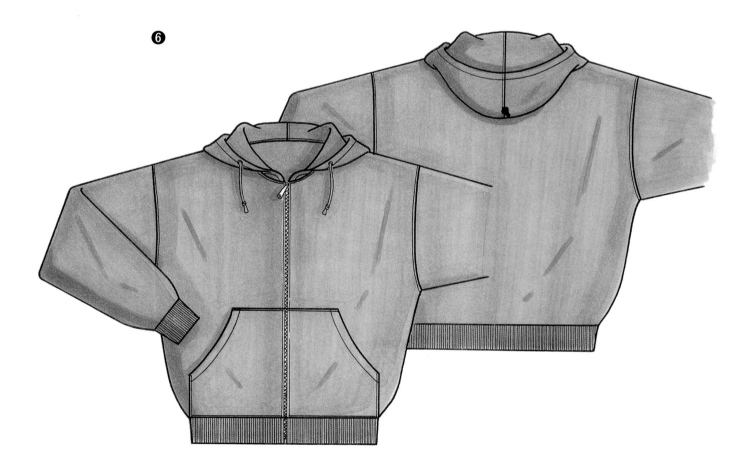

⑧ Achten Sie auf die Richtung des Musters, da der Stoff am hinteren Sattel und den Gürtelschlaufen einen horizontalen Fadenlauf aufweist. Wir haben für die Nähte einen orangefarbenen Buntstift verwendet.

⑧ *Since the fabric of the back yoke and belt loops has a horizontal grain, pay attention to the direction of pattern. We have used an orange colored pencil for the stiches.*

⑨ Um das Nylon der MA-1 darzustellen, verwenden Sie einen grauen Marker und weiße Plakatfarbe. Für die Metallteile des Reißverschlusses wurde ein goldener Marker benutzt.

⑨ *To express the MA-1 nyron, use a gray marker and white poster color. A gold marker was used to draw the zipper's metal parts.*

⑪/⑫ Achten Sie auf den Fadenlauf bei den Abnähern.

⑪/⑫ Pay attention to the grain of the darted fabric.

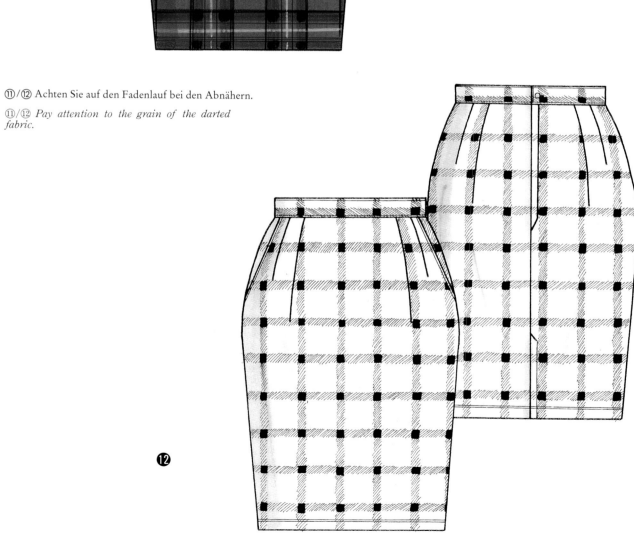

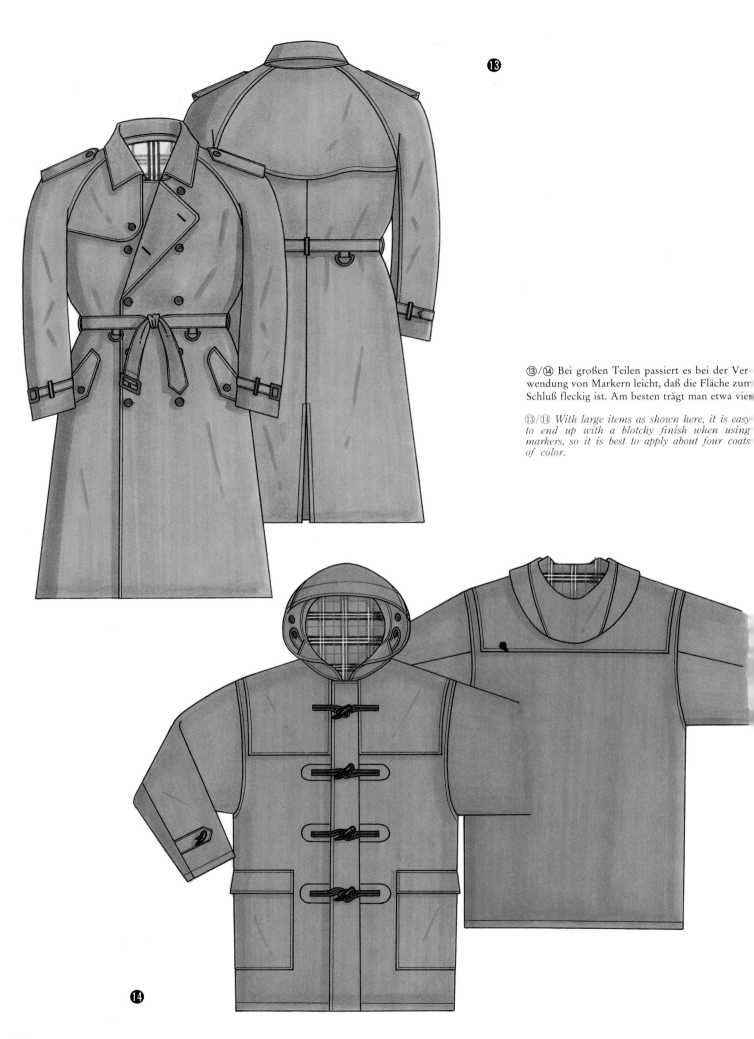

⓭/⓮ Bei großen Teilen passiert es bei der Verwendung von Markern leicht, daß die Fläche zum Schluß fleckig ist. Am besten trägt man etwa vier

⓭/⓮ With large items as shown here, it is easy to end up with a blotchy finish when using markers, so it is best to apply about four coats of color.

⓮

Kapitel 3 MODEZEICHNUNGEN

Chapter 3 FASHION ILLUSTRATIONS

Sie sind jetzt in der Lage, die in Kapitel 1 und 2 enthaltenen Informationen umzusetzen und individuelle und originelle Modezeichnungen zu erstellen. Denken Sie an folgende Dinge, wenn Sie eine Modezeichnung erarbeiten:

① Zeichnen Sie nackte Körper besonders sorgfältig. Je mehr Kleidung Sie auf einen Körper zeichnen, desto ungenauer wird die Form, wenn die Nacktform nicht akkurat ist. Die Endfiguren sehen dann so aus, als würden sie nicht stehen.

② Wählen Sie eine Pose, die den entworfenen Kleidungstücken entspricht. Wenn die Figur einen engen Rock trägt und mit gespreizten Beinen dasteht, oder wenn sie die Arme verschränkt und damit ein wichtiges Designdetail vorn am Kleidungstück verdeckt, ist der Entwurf ruiniert. Eine dem Entwurfskonzept angepaßte Pose beweist guten Geschmack.

③ Lassen Sie das Bild räumlich wirken. Stellen Sie die Schmiegsamkeit des Stoffes dar, indem Sie Lichter, Schatten und Fältchen einzeichnen. Versuchen Sie, ausdrucksstarke und wirkungsvolle Stücke zu realisieren.

④ Achten Sie auf die Gesamtform. Denken Sie beim Zeichnen von Details immer an den gesamten Entwurf, damit Sie über winzigen Einzelheiten und Mustern nicht die Gesamtform vergessen.

⑤ Zeichnen Sie das Gesicht sorgfältig. Das Gesicht ist sehr wichtig. Trainieren Sie das Zeichnen von Gesichtern von Erwachsenen, damit die Augen nicht zu groß und lustig sind.

Bereitlegen:
2 Bögen Pauspapier, 1 Bogen Kentpapier für die Tuschezeichnung, Marker, Wasserfarben.

You are now ready for actually using the information gained in Chapter 1 and 2, and for drawing unique and original fashion illustrations. Remember the following points when drawing fashion illustrations :

① *Carefully draw nudes.*
If the nude sketch is not accurate, the more clothes you put on the figure, the more the balance will be inaccurate. The finished figures will look as through they are not standing.

② *Select a pose matching the designed clothes.*
If the figure is wearing a tight skirt and her legs are spread, or if the arms are crossed, hiding the design point on the front of the outfit, the design will be ruined. A pose suitable for the design concept leads to good taste.

③ *Express a sense of three-dimensionality.*
Express the softness of the fabric by adding light, shadows, and wrinkles. Aim for pieces with strong impact and accent.

④ *Pay attention to the overall balance.*
So as not to forget the overall balance by paying too much attention to the small details and patterns, carefully draw such details with your own image of the design in mind.

⑤ *Accurately draw the face.*
The face is very important. Practice drawing adult faces so that the eyes are not too big and comical.

Things to prepare : 2 sheets of draft paper, 1 sheet of Kent paper for inking, markers, water colors.

● Freizeitmode (Herren)
(Objekt: Hemd mit Punkten, Jeans)

● Casual Fashion (Men)
(Item : Dotted shirt, jeans)

❶
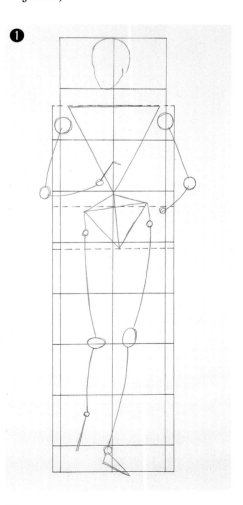

❷
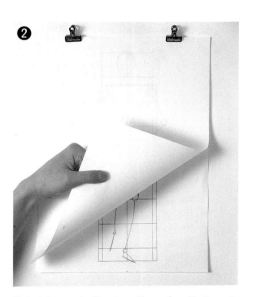

① Zeichnen Sie die Grundform für die Pose in den vorbereiteten Rahmen (Mann).

② Legen Sie das zweite Blatt darüber.

③ Ziehen Sie die Mittellinie und modellieren Sie die Figur.

① *Add the structure of the pose to the prepared frames (Men).*

② *Prepare the second sheet.*

③ *Draw the center line and model the figure.*

❸
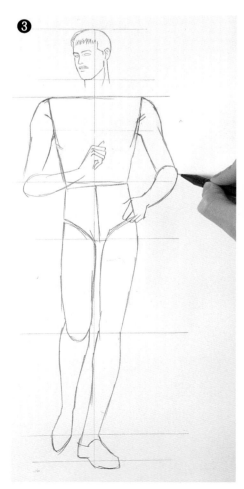

④ Zeichnen Sie die Kleidungsstücke. Achten Sie auf das Volumen von Hemd und Jeans. Der Gürtel bewegt sich mit den Hüften und der Fuß des Spielbeins ist angehoben.

⑤ Fügen Sie die Details hinzu.

⑥ Radieren Sie unnöige Linien aus. Das ist die letzte Überprüfung vor der Tuschezeichnung, nehmen Sie sich also Zeit. Es kann vorkommen, daß Sie die Pose hier etwas verändern wollen, wenn Sie sich die Gesamtform anschauen. Fehler wie ein zu großes Gesicht oder zu kurze Beine können mit einem Kopierer mit Vergrößerungs-/Verkleinerungsfunktion behoben werden. Die korrekte Form kann dann ausgeschnitten und aufgeklebt werden. Damit das Kentpapier oder Ihre Hände nicht schmutzig werden, ist es sinnvoll, zuerst den fertigen Entwurf zu kopieren.

⑦ Verwenden Sie einen Leuchttisch, um durch den Entwurf zu sehen und beginnen Sie mit der Tuschezeichnung auf dem Kentpapier. Der Umriß sollte dick, die Strukturlinien und Falten dünn gezeichnet werden. Damit wird die Abbildung auch ausdrucksvoller. Da Buntstifte verwendet werden, müssen Sie die fertige Zeichnung nach dem Zeichnen mit Tusche mit einem Fixiermittel übersprühen.
(Näheres auf S. 134 des Kapitels Spezielle Techniken: [2] Aufbringen eines Fixiermittels)

④ *Draw the clothes. Consider the amount of shirt and denim. The belt should move with the hips, and the axial foot should be raised.*

⑤ *Add the details.*

⑥ *Erase the unnecessary lines to complete the draft.*
This is the final check prior to inking, so take your time. In some cases you will want to change the pose here, taking into consideration the overall balance. If the face is too large, or the legs too short, such mistake can be corrected by using a copy machine to enlarge of reduce the size. The correct features may then be cut and pasted. In order not to dirty the Kent paper or your hands during the inking process, it is wise to copy the completed draft first.

⑦ *Use a tracing table to see through the draft and begin drawing with ink on the Kent paper. The outline should be bold, and the structure lines and wrinkles drawn with a light touch. This also adds accent. Since colored pencils are used, spray the drawing after inking is completed with a fixative. (Refer to p.134, Technique Guide [2] Applying a Fixative.)*

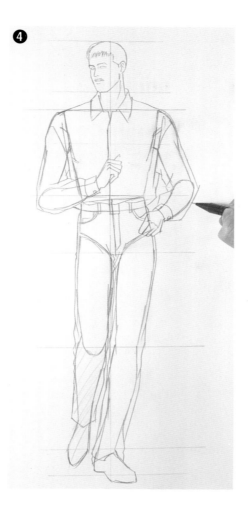

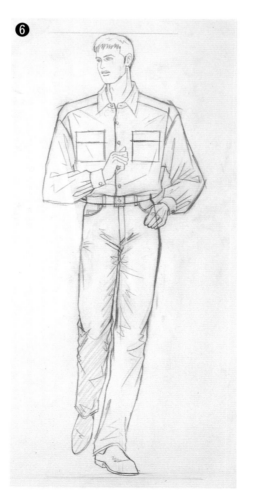

⑧ Legen Sie die Haut farbig an. Tragen Sie die Farbe mit leichter Hand auf und lassen Sie absichtlich einige Stellen aus.

⑨ Legen Sie das Hemd farbig an. Lassen Sie die Strukturlinien und Falten aus und achten Sie darauf, daß die Details gut herauskommen.

⑩ Tragen Sie eine Farbschicht auf, die heller als die Grundfarbe ist und sich mit dem Rest verbindet. (Näheres auf S. 134 des Kapitels Spezielle Techniken: [4] Mischen von Farben).

⑪ Zeichnen Sie die Punkte mit weißer Farbe. Achten Sie hierbei auf den Fadenlauf des Stoffes.

⑧ *Color the skin. Lightly apply the color, purposely missing some areas.*

⑨ *Color the shirt. Avoid the structure lines and wrinkles, making sure that the details are clear.*

⑩ *Apply a coat of color that is lighter than the base, blending it in with the rest. (Refer to p. 134, Technique Guide [4] Blending Colors.)*

⑪ *Use a white color to draw the dots. Pay attention to the fabric's grain when doing so.*

⑫ Legen Sie die Jeans farbig an.

⑬ Tragen Sie eine Farbschicht auf, die heller als die Grundfarbe ist und sich mit dem Rest mischt.

⑭ Fügen Sie das Muster mit weißer Farbe hinzu und verleihen Sie der Beschaffenheit des Stoffes Ausdruck.

⑮ Tragen Sie noch eine Schicht der helleren Farbe auf, die sich mit dem Weiß mischt.

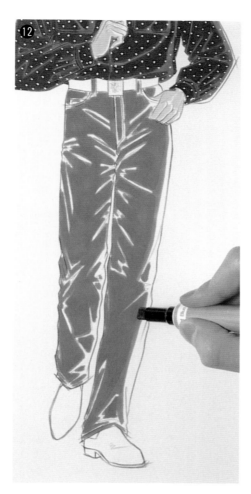

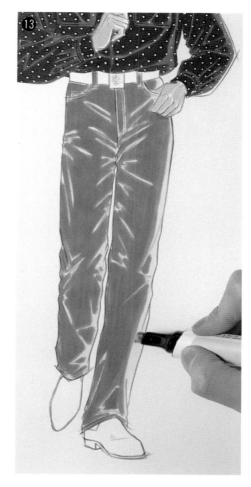

⑫ *Color the denim.*

⑬ *Apply a coat of color that is lighter than the base, blending it in with the rest.*

⑭ *Add the pattern with a white color, expressing the feel of the fabric.*

⑮ *Apply another coat of the lighter color, blending it in with the white.*

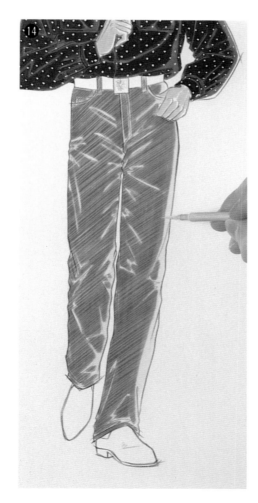

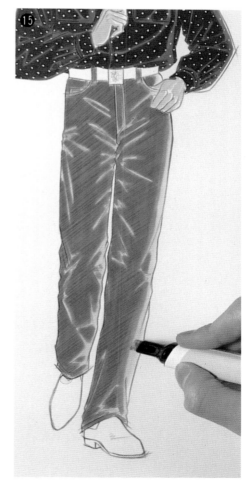

⑯ Zeichnen Sie die orangefarbenen Nähte mit einem Buntstift ein, benutzen Sie für die Nieten einen goldenen Marker und kolorieren Sie Gürtel und Schuhe.

⑰ Legen Sie Augen und Haare farbig an.

⑱ Schattieren Sie das Gesicht. Benutzen Sie für die Augen und unter der Nase und am Hals ein helles Grau. (Näheres auf S. 128 des Kapitels Spezielle Techniken: [1] Gesichter)

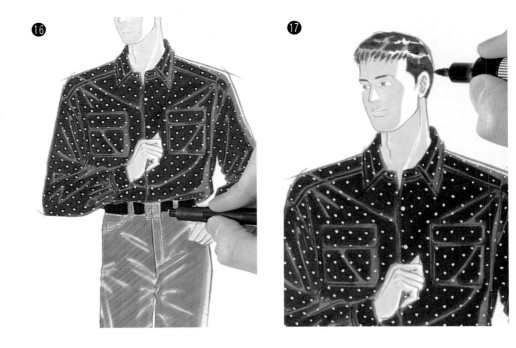

⑯ *Use a colored pencil to draw the orange stitches, color the rivets with a gold metal marker, and color the shoes and belt.*

⑰ *Color the hair and eyes.*

⑱ *Add shadows to the face. Apply a light gray to the eyes and under the nose and neck. (Refer to p.128, Technique Guide [1] Face Illustrations.)*

⑲

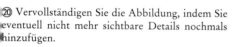

⑳

⑲ Fügen Sie auf der gesamten Zeichnung Schatten hinzu.

⑳ Vervollständigen Sie die Abbildung, indem Sie eventuell nicht mehr sichtbare Details nochmals hinzufügen.

⑲ *Add shadows to the overall drawing.*

⑳ *Complete the illustration by adding the details that may have been erased.*

● Freizeitmode (Damen)
(Objekt: Jeans-Jacke, T-Shirt, Tuch, graue Hose)

① Modellieren Sie die Figur im Rahmen.

② Zeichnen Sie die Hose. Sie ist verhältnismäßig weit. Achten Sie auf das Volumen von den Hüften nach unten. Das Vorderteil des Gürtels ist nach oben gezogen.

③ Zeichnen Sie die Jeans-Jacke und die Tasche.

④ Zeichnen Sie das Tuch. Wenn Sie wie hier verschiedene Schichten zeichnen, so passen Sie jede Schicht einzeln an die nackte Figur an, damit die korrekten Proportionen gewahrt bleiben.

❶

❷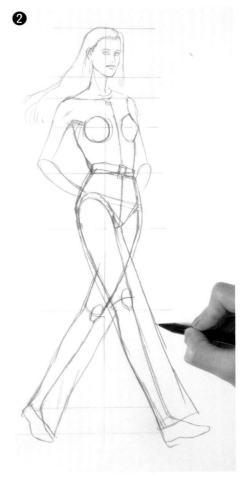

❸

❹

●Casual Fashion (Women)

(Item : Denim jumper, T-shirt, stole, gray pants)

①*Model the frame.*

②*Draw the pants. They are relatively wide. Pay attention to the volume from the hips downward. The front of the belt is raised.*

③*Draw the denim jumper and bag.*

④*Draw the stole. When drawing layers, as seen here, apply each layer at a time to the nude figure, so that the correct balance is kept.*

⑤ Der Entwurf ist jetzt fertig.

⑥ Die Tuschezeichnung ist jetzt komplett.

⑦ Kolorieren Sie die Haut.

❺

❻

❼

⑤ *The draft is now complete.*

⑥ *The inking s now complete.*

⑦ *Color the skin.*

⑧ Legen Sie die Jeans-Jacke farbig an.

⑨ Mischen Sie einen helleren Farbton hinzu.

⑩ Verleihen Sie der Stoffstruktur mittels weißer Farbe Ausdruck. Der Fadenlauf an Manschetten, rückwärtiger Passe und Bund ist horizontal. Achten Sie auf das Muster.

⑪ Mischen Sie alles mit einem helleren Farbton.

⑧ Color the denim jumper.

⑨ Blend in a light color.

⑩ Express the texture with a white color. The fabric's grain on the cuffs, back yoke, and waist is horizontal. Pay attention to the pattern.

⑪ Blend in a light color.

⑫

⑬

⑫ Die Hose wird grau.

⑬ Mischen Sie alles mit einem helleren Grau.

⑭ Kolorieren Sie das Tuch.

⑭

⑫Color the pants gray.

⑬Blend in a light gray.

⑭Color the stole.

⑮ Legen Sie die Tasche farbig an.

⑯ Kolorieren Sie T-Shirt, Schuhe und Gürtelschnalle. Stimmen Sie die Farben insgesamt aufeinander ab.

⑰ Legen Sie Haare und Augen farbig an.

⑱ Schattieren Sie die Zeichnung.

⑲ Fügen Sie Make-up hinzu.

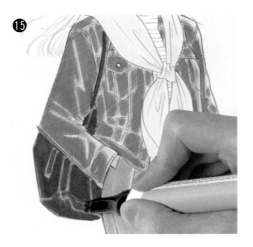

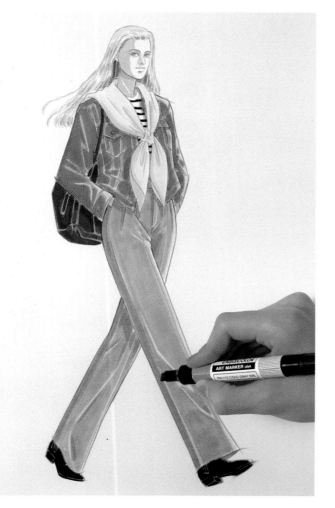

⑮Color the bag.

⑯Color the T-shirt, shoes, and belt buckls. Adjust the overall color scheme.

⑰Color the hair and eyes.

⑱Apply shadows.

⑲Apply make-up.

⑳ Vervollständigen Sie die Abbildung, indem Sie
die Details mit einem schwarzen Buntstift nach-
zeichnen.

⑳

⑳*Complete the illustration by drawing the
details with a black colored pencil.*

● Tagesmode (Herren)
(Objekt: Anzug)

① Wählen Sie die Pose.

② Zeichnen Sie Hemd und Hose.

③ Zeichnen Sie das Jackett. Da das Jackett dicker als das Hemd ist, müssen Sie daran denken, die Schulterbreite und den unteren Teil des Torso im Vergleich zum Hemd zu vergrößern.

④ Zeichnen Sie die Details ein.

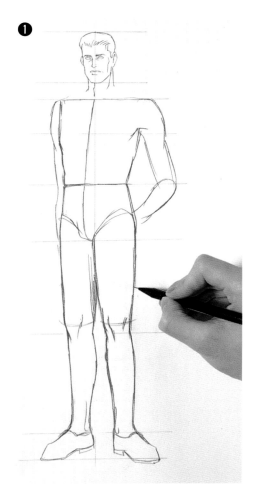

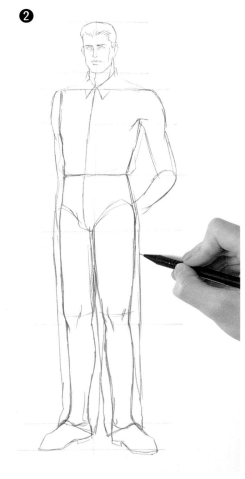

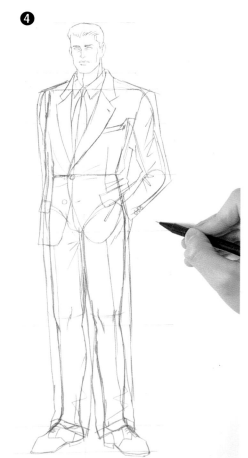

●Business Fashion (Men)

(Item : Suit)

①*Select the pose.*

②*Draw the shirt and pants.*

③*Draw the jacket. Since the jacket is thicker than the shirt, remember to make the shoulder width and lower torso larger than the shirt.*

④*Draw the details.*

⑤ Der Entwurf ist jetzt fertig.

⑥ Die Tuschezeichnung ist jetzt komplett.

⑦ Kolorieren Sie die Haut.

❺

❻

❼

⑤ *The draft is now complete.*

⑥ *The inking is now complete.*

⑦ *Color the skin.*

⑧ Legen Sie den Anzug farbig an.

⑨ Mischen Sie eine Farbe hinzu, die heller ist als der Grundton.

⑩ Zeichnen Sie mit einem Bleistift ein vorläufiges Fischgrätmuster. Achten Sie darauf, wie sich das Muster an Stellen mit Falten ändert.

⑪ Zeichnen Sie das eigentliche Fischgrätmuster.

⑧Color the suit.

⑨Blend in a color lighter than the base color.

⑩Use a pencil to draw temporary herringbone pattern. Note how the pattern changes where there are wrinkles.

⑪Draw the actual herringbone pattern.

❽

❾

❿

⓫

⑫

⑫ Fügen Sie mit einem schwarzen Buntstift ein dunkleres Muster hinzu.

⑬ Setzen Sie mit weißer Plakatfarbe Akzente.

⑭ Kolorieren Sie das Hemd.

⑬

⑭

⑫ Use a black colored pencil to add a darker pattern.

⑬ Use a white poster color to add accent.

⑭ Color the shirt.

⑮ Mischen Sie alles mit einem helleren Farbton.

⑯ Legen Sie Krawatte und Schuhe farbig an und stimmen Sie die Farben aufeinander ab.

⑰ Kolorieren Sie Haare und Augen.

⑱ Schattieren Sie das Gesicht.

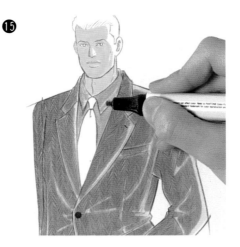

⑮ Blend in a light color.

⑯ Color the necktie and shoes, adjusting the colors.

⑰ Color the hair and eyes.

⑱ Add shadows to the face.

⑲ Schattieren Sie die gesamte Zeichnung.

⑳ Zeichnen Sie zur Vervollständigung der Abbildung die Details nach.

⑲ *Add shadows to the entire drawing.*

⑳ *Draw the details to complete the illustration.*

Tagesmode (Damen)
(Objekt: Kostüm)

① Skizzieren Sie die Pose.

② Zeichnen Sie Jacke, Rock und Tasche. Da das Standbein etwas angehoben ist, ist der Rockbund auf derselben Seite auch geringfügig angehoben.

③ Zeichnen Sie die Falten des Rocks.

④ Zeichnen Sie die Details.

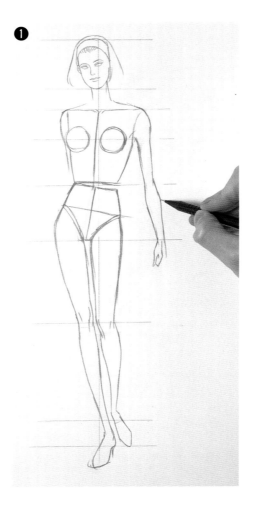

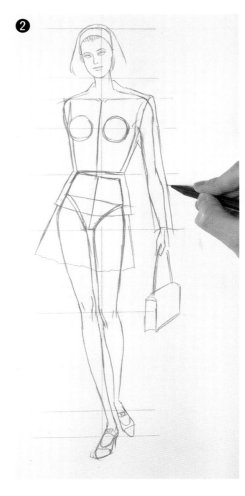

Business Fashion (Women)

(Item : Suit)

①*Roughly draw the pose.*

②*Draw the jacket, skirt and bag. Note that since the axial leg is raised, the skirt's waist on the same side is also slightly raised.*

③*Draw the skirt's pleats.*

④*Draw the details.*

⑤ Der Entwurf ist jetzt fertig. An diesem Punkt stellten wir fest, daß das Gesicht zu groß war und verkleinerten es mittels eines Kopierers auf 96%.

⑥ Die Tuschezeichnung ist jetzt komplett

⑦ Kolorieren Sie die Haut.

❺

❻

❼

⑤ *The draft is now complete. At this point, we noticed that the face was too large, and reduced the size to 96% with a copy machine.*

⑥ *The inking is now complete.*

⑦ *Color the skin.*

⑧

⑨

⑧ Legen Sie das Kostüm farbig an.

⑨ Sie erreichen durch mehrere Schichten eines warmen, grauen Markers eine ansprechende Farbe.

⑩ Mischen Sie einen helleren Farbton hinzu.

⑪ Verändern Sie den Farbton durch eine weitere Schicht derselben Farbe.

⑩

⑪

⑧ *Color the suit.*

⑨ *Create a subtle color using several coats of a warm gray marker.*

⑩ *Blend in a light color.*

⑪ *Reduce the tone by applying another coats of the same color.*

⑫ Zeichnen Sie die Strümpfe. Fangen Sie mit den dunkleren Tönen an.

⑬ Tragen Sie einen helleren Farbton auf.

⑭ Tragen Sie einen noch helleren Farbton auf.

⑮ Mischen Sie alle Töne.

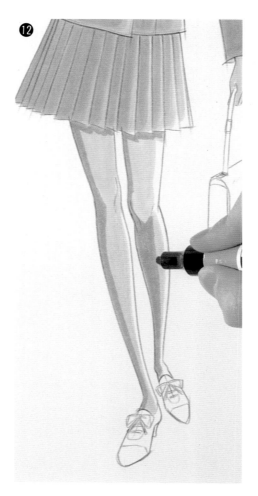

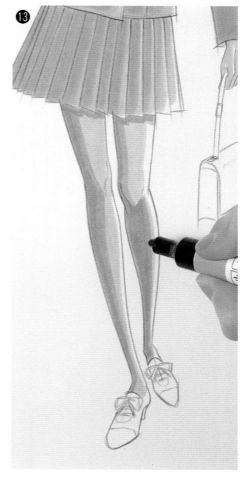

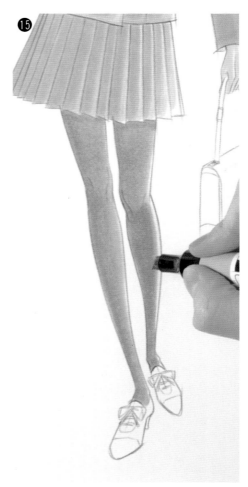

⑫ *Draw the stockings. Start with darker colors.*

⑬ *Apply a color one shade lighter.*

⑭ *Apply a color even lighter.*

⑮ *Blend in all of the colors.*

⑯ Kolorieren Sie Schuhe, Tasche und die übrigen kleineren Teile.

⑰ Legen Sie Augen und Haare farbig an.

⑱ Schattieren Sie die gesamte Zeichnung.

⑲ Tragen Sie Make-up auf.

⑯Color the shoes, bag, and other small items.

⑰Color the hair and eyes.

⑱Add shadows to the entire drawing.

⑲Apply make-up.

⑳

Abendmode (Herren)
   (Objekt: Frack)

① Wählen Sie die Pose.

② Zeichnen Sie Hemd und Hose.

③ Zeichnen Sie Frack, Zylinder, Handschuhe, Stock und die anderen Objekte.

④ Zeichnen Sie die Details.

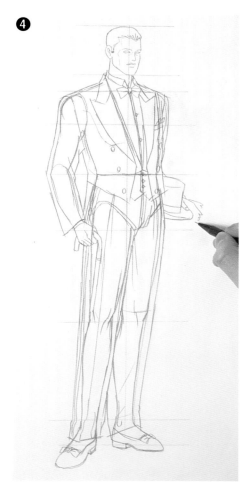
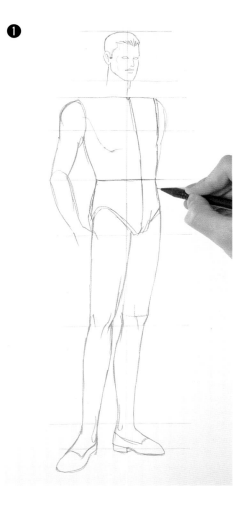
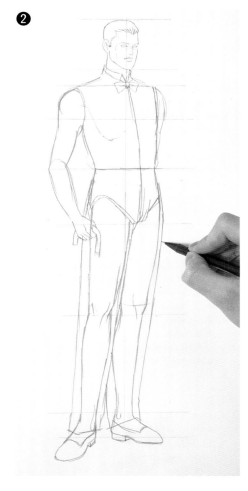

Formal Fashion (Men)

(Item : Tail-coat)

①*Select the pose.*

②*Draw the shirt and pants.*

③*Draw the tail-coat, opera hat, gloves, stick, and other such items.*

④*Draw the details.*

⑤

⑥

⑤ Der Entwurf ist jetzt fertig.

⑥ Die Tuschezeichnung ist jetzt komplett.

⑦ Kolorieren Sie die Haut.

⑦

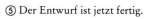

⑤ *The draft is now complete.*

⑥ *The inking is now complete.*

⑦ *Color the skin.*

⑧

⑨

⑧ Legen Sie den Frack schwarz an.

⑨ Hier sehen Sie den kolorierten Frack.

⑩ Legen Sie die Hosen ebenfalls schwarz an.

⑪ Hier sehen Sie die kolorierten Hosen.

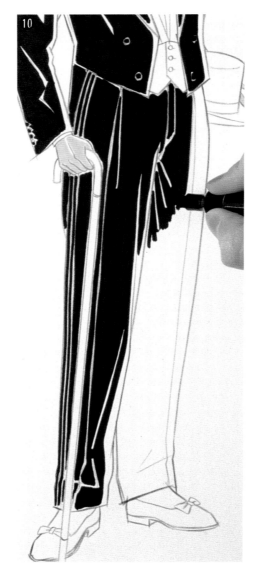

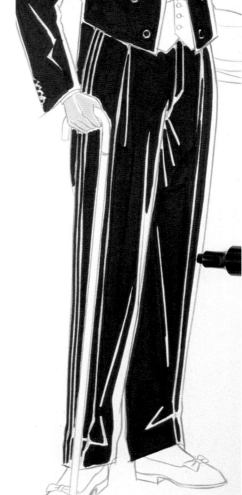

⑧ Color the tail-coat black.

⑨ This shows the colored tail-coat.

⑩ Color the pants black, as well.

⑪ This shows the colored pants.

⑫ Gleichen Sie die Farbe mit einem grauen Marker an.

⑬ Mischen Sie das gleiche Grau hinzu und achten Sie darauf, weder die Seitenstreifen noch die Hosen zu überdecken.

⑭ Setzen Sie nochmals mit Schwarz Akzente.

⑮ Die Schatten von schwarzen Objekten sind schwarz.

⑫

⑫Adjust the color with a gray marker.

⑬Making sure you do not cover the side stripes or the pants, blend in the same gray.

⑭Add accent with black once again.

⑮The shadows of items colored in black should be black.

⑯ Wenden Sie sich den kleineren Teilen wie beispielsweise den Halbschuhen zu.

⑰ Kolorieren Sie Haare und Augen.

⑱ Schattieren Sie das Gesicht.

⑲ Schattieren Sie Weste und Frackhemd.

⑯Draw the small items such as the opera pumps.

⑰Color the hair and eyes.

⑱Add shadows to the face.

⑲Add shadows to the vest and dress shirt.

20 Zeichnen Sie die Details nach und setzen Sie
nochmals mit Schwarz und Dunkelgrau Akzente,
um die Abbildung zu vervollständigen.

20 *Draw the details, and once again add accent
with black and dark gray to complete the illustration.*

● Abendmode (Damen)
(Objekt: Abendkleid)

① Wählen Sie die Pose.

② Zeichnen Sie das Kleid. Die Füße sollten nicht zu sehen sein.

③ Zeichnen Sie die Details.

④ Der Entwurf ist jetzt fertig.

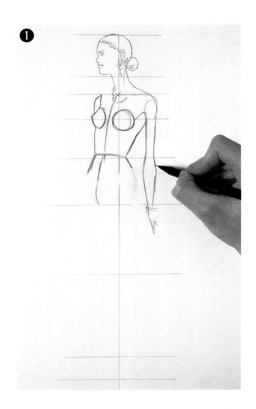

●Formal Fashion (Women)

(Item : Evening Dress)

①*Select the pose.*

②*Draw the dress. The feet should not be showing.*

③*Draw the details.*

④*The draft is now complete.*

⑤

⑥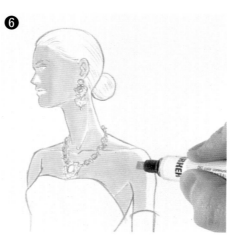

⑤ The inking is now complete.

⑥ Color the skin.

⑦ Color the dress.

⑧ Blend in a color lighter than the base color.

⑤ Die Tuschezeichnung ist jetzt komplett.

⑥ Kolorieren Sie die Haut.

⑦ Legen Sie das Kleid farbig an.

⑧ Mischen Sie einen Farbton hinzu, der heller als die Grundfarbe ist.

⑧

⑦

⑨ Mischen Sie einen noch helleren Farbon hinzu.

⑩ Mischen Sie der Zeichnung insgesamt einen noch helleren Ton hinzu.

⑪ Zeichnen Sie die Stickerei mit weißer Plakatfarbe.

⑫ Mischen Sie das Weiß mit einem Marker.

⑨ *Blend in an even lighter color.*

⑩ *Blend in a light color to the entire drawing.*

⑪ *Draw the embroidery with a white poster color.*

⑫ *Blend a marker into the white.*

⓭

⑬Draw the pattern with a white color again, adding accent.

⑭Apply the base color of the accessories.

⑮Express luster with a white poster color. (Refer to p.136, Technique Guide [10] Coloring Accessories.)

⑬ Zeichnen Sie das Muster nochmals mit weißer Farbe und setzen Sie so Akzente.

⑭ Tragen Sie die Grundfarbe der Accessoires auf.

⑮ Drücken Sie den Glanz mit weißer Plakatfarbe aus (Näheres auf S. 136 des Kapitels Spezielle Techniken: [10] Farbgebung bei Accessoires

⑯ Kolorieren Sie Haare und Augen.

⑰ Schattieren Sie das Gesicht.

⑱ Schattieren Sie das Kleid.

⑲ Tragen Sie Make-up auf.

⑯Color the hair and eyes.

⑰Add shadows to the face.

⑱Add shadows to the dress.

⑲Apply make-up.

⑳

⑳ Draw the details to complete the illustration.

● Modezeichnungen **Fashion Illustrations**
Freizeitmode **Casual Fashion**

Verzerrung

Nachdem Sie nun gelernt haben, wie man akkurate Modezeichnungen erstellt, sollten Sie sich im Entwurf eigener Darstellungen üben. Verzerrung ist eine Vorgehensweise bei Modezeichnungen, bei der das Konzept des Kleidungsstückes übertrieben wird, um es besonders wirken zu lassen. Hierbei stehen Ihnen folgende Methoden zur Verfügung:

① Wenn Sie einen kleinen Kopf zeichnen, erhält der Entwurf mehr Ausdruckskraft. [Verzerrung des Körpers]

② Übertreiben Sie die Silhouette des Kleidungsstücks gemäß dem Entwurf (z.B. Sie machen die Schultern sehr breit oder die Taille sehr schmal). [Verzerrung des Kleidungsstücks]

③ Zeichnen Sie bei der Tuscheversion nur die wichtigsten Charakteristika des Entwurfs und lassen Sie unnötige Linien weg. Tragen Sie nur soviel Farbe auf, daß Stoff und Grundfarbe klar hervortreten (verkürzte Methode).

④ Wechseln Sie das Papier für die Tuschezeichnung.

Das Beispiel zeigt eine Kombination aus ③ und ④.

Deformation

Once you have learned how to accurately draw fashion illustrations, practice creating your own individual drawings.
Deformation is a method of drawing fashion illustrations in which the outfit's concept is exaggerated in order to give it life. The following methods are possible.

①*By drawing a small head, impact is given to the design.* [*Body Deformation*]

②*Exaggerate the outfit's silhouette according to the design. (E.g. Make the shoulders very wide, or the waist very narrow.)* [*Costume Deformation*]

③*When inking, only draw the design points, eliminating unnecessary lines. Only enough color should be applied so that the textile and basic color is apparent.* [*Abbreviation Method*]

④*Try changing the paper for inking.*

The example shows a combination of ③ and ④.

SPEZIELLE TECHNIKEN

TECHNICAL GUIDE

[1] Gesichter

● Auftragen von Farbe

(1) Gleichmäßige Kolorierung des Gesichts.

[1] Illustrating the Face

●Applying Color

(1) Coloring the skin evenly.

① Tragen Sie eine gleichmäßige Farbschicht auf das Gesicht auf.

①Apply an even coat of color to the skin.

② Legen Sie das Haar farbig an. Sparen Sie bei dunklem Haar absichtlich ein paar Stellen aus, an denen dann ein hellerer Farbton mit dem Rest gemischt wird.
②Color the hair. For dark colors, purposely miss some spots, blending in a light color to the hair.

③ Tragen Sie die Grundfarbe nochmals auf und setzen Sie damit Akzente.

③Apply the base color again, adding accent.

④ Fügen Sie mit Grau Schatten über den Augen, dem Weißen im Auge, unter der Nase und an Hals und Nacken hinzu.
④Use gray to add shadows above the eyes, the whites of the eyes, under the nose, and below the neck.

⑤ Tragen Sie das Augen-Make-up mit Buntstiften und den Lippenstift mit einem Marker auf.

⑤Use colored pencils to apply make-up to the eyes, and a marker for lipstick.

⑥ Geben Sie zur Vervollständigung des Gesichts noch Weiß in den Augapfel und auf die Unterlippe.
⑥Add white to the eyeballs and lower lip to complete the face.

(2) Sparen Sie einige Bereiche aus, wenn Sie das Gesicht kolorieren.

(2) Leave some areas without color when coloring the skin.

① Ändern Sie die Lichteinfallrichtung, wenn Sie die Haut farbig anlegen und sparen Sie einige Bereiche aus.

①Change the direction of light, coloring the skin, and leaving some areas without color.

② Kolorieren Sie das Haar und fügen Sie Schatten hinzu.

②Color the hair and add shadows.

③ Tragen Sie zur Vervollständigung des Gesichts Make-up auf.

③Apply make-up to complete the face.

(3) Keine Schatten

(3) No shadows.

① Verwenden Sie an den Stellen, an denen die Schatten normalerweise zu finden wären, einen Hautton. Damit erreichen Sie einen sauberen Gesamteindruck.

①Use a skin tone where the shadows would normally be. This will result in a clean finish.

② Kolorieren Sie das Haar.

②Color the hair.

③ Tragen Sie zur Vervollständigung des Gesichts Make-up auf.

③Apply make-up to complete the face.

(4) Einfarbige Darstellung

(4) Monochrome

① Bei einer einfarbigen Darstellung wird der Hautbereich von (3) grau.

①In the case of a monochrome drawing, the skin area in (3) will become gray.

② Kolorieren Sie das Haar.

②Color the hair.

③ Tragen Sie zur Vervollständigung des Gesichts Make-up auf.

③Apply make-up to complete the face.

[2] Aufbringen eines Fixiermittels

① Entfernen Sie mit einer Feder den Staub von der Zeichnung, nachdem die Tuscheversion fertig ist.

② Halten Sie das Fixiermittel in einem Abstand von 20-30 cm über die Zeichnung.

③ Besprühen Sie das Papier gleichmäßig von oben nach unten. Dies sollte ein bis zwei Sekunden dauern.

①Use a feather broom to dust off the drawing once inking has been completed.

②Place the fixative about 20-30cm from the paper.

③Evenly spray the paper in a vertical motion. This should take about one to two seconds.

[3] Schattierung

① Legen Sie die Lichteinfallsrichtung fest.

② Zeichnen Sie mit dem feineren Teil des Stiftes Fältchen.

③ Verwenden Sie die breitere Seite, um der ganzen Zeichnung Schatten hinzuzufügen. Achten Sie darauf, daß die Details betont werden..

①Concider the direction of light.

②Draw the wrinkles with the finer part of the pen.

③Use the wider side to add shadows to the whole drawing. Make sure the details are emphasized.

[4] Mischen von Farben

① Tragen Sie die Grundfarbe auf.
①apply the base color.

② Wählen Sie eine Farbe, die sich mit der Grundfarbe mischt. Im allgemeinen wird dies ein Ton sein, der blasser als die Grundfarbe ist. Wählen Sie einen von mehreren Tönen, die Ihrem Eindruck nach passen könnten.

②Select a color that will blend in with the base color. In general, this will be a color paler than the base color. Select one out of several that you feel may work.

[5] Dunkle Farben

① Links sehen Sie als Vergleich ein Marineblau, mit dem wir einen dunkleren Farbton erreichen wollen.

①The left color is a navy blue for comparison. In order to make a darker color.

---

［2］Apply a Fixative

［3］Adding shadows

［4］Blending the color

③ Mischen Sie nun tatsächlich den Marker mit der Grundfarbe, um Ihren Eindruck zu überprüfen.

③Actually try blending in the marker with the base color to test it.

［5］Making a Dark Color

② Tragen Sie das linke Marineblau über dem Dunkelgrau auf.

②Apply the left navy blue over the dark gray.

③ Vergleichen Sie die Farben. Sie sehen, daß das linke Farbfeld dunkler ist.

③Compare the colors. You will see that the left color is darker.

Durch den Auftrag mehrerer Markerschichten ist es möglich, viele verschiedene Farben zu erzielen. Achten Sie darauf, daß selbst bei Verwendung derselben Marker die Endfarbe Unterschiede aufweisen wird, wenn die Reihenfolge beim Auftragen variiert. Experimentieren Sie ruhig ein wenig herum.

[6] Mischen von Farben durch Auftragen mehrerer Schichten

[6] Mixing Colors by Applying Several Coats

It is possible to create many different colors by applying several coats of markers. Note that even if you are using the same two markers, if the order you apply them is changed, the resulting color will also vary. Experiment with this process.

① Legen Sie Marker in blau und rot bereit und tragen Sie die Farbe auf.

①*Prepare blue and red markers, and apply the color.*

②*If the base color is blue, use a red marker, and if the base is red, a blue one.*

② Ist die Grundfarbe blau, verwenden Sie einen roten Marker, ist die Grundfarbe rot, einen blauen.

③*Since the color applied afterwards greater impact, the left example resulted in a reddish navy blue, and the right a bluish one. Keep this in mind since it is a very important rule when applying color by using several coats.*

③ Da die später aufgetragene Farbe die größere Wirkung hat, ergab sich bei dem linken Beispiel ein rötliches Marineblau, während das rechte bläulich ausfiel. Prägen Sie sich die Wirkung gut ein, denn das ist eine wichtige Regel, wenn man mehrere Schichten Farbe aufträgt.

[7] Helle Töne

[7] Creating Pale Tones

① Wir versuchten, den gewünschten Farbton mit zwei Markerfarben zu erzielen, das Ergebnis war jedoch zu dunkel und gefiel uns nicht.

①*We tried applying two colors of markers to create the desired color, but the result was too dark and not satisfactory.*

② Tragen Sie eine gleichmäßige Schicht (mit Wasser) verdünnter weißer Plakatfarbe auf.

②*Apply an even coat of dilted (with water) white poster color.*

③ Nach Trocknen der Flüssigkeit ergibt sich ein heller Farbton

③*A pale tone was created when the liquid dried.*

[8] Farbe von Strümpfen

Dunkle Strümpfe werden auf Seite 99 beschrieben. Hier wenden wir uns weißen Strümpfen zu.

[8] Coloring stockings

We dealt with dark stockings on p.99. Here we have shown white ones.

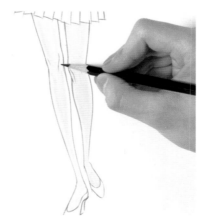

① Kolorieren Sie die Haut und tragen Sie dann eine gleichmäßige Schicht weißer Plakatfarbe auf.

①*Color the skin and then apply an even coat of white poster color.*

② Zeichnen Sie die Details mit einem schwarzen Buntstift.

②*Draw the details with a black colored pencil.*

③ Fügen Sie mit einem grauen Marker Schatten hinzu, um die Abbildung zu vervollständigen.

③*Add shadows with a gray marker to complete the illustration.*

[9] Farbkorrekturen durch Ausschneiden und Aufkleben

[9] Correcting the Color by Cutting and Pasting

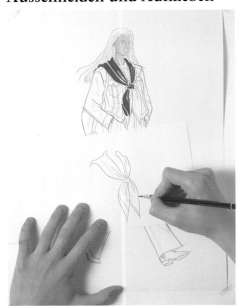

① Wenn Sie nach fertiger Kolorierung der Zeichnung mit dem Ergebnis nicht zufrieden sind, zeichnen Sie das entsprechende Teil auf ein anderes Blatt und fertigen eine Tuscheversion davon an. Sinnvoll ist, für solche Fälle kopierte Tuscheversionen bereitzuhalten. Diese können auch zu einem späteren Zeitpunkt als Informationsunterlage dienen.

①When you decide that the results are not satisfactory once you have colored the drawing, it takes a great deal of effort to redraw the entire illustration. In such cases, trace the incorrect area on another piece of paper and apply ink. It is wise to copy and keep inked illustrations for such situations. You may also use the drawings as information at a later date.

② Tragen Sie erneut Farbe auf. Da Sie das Teil später ausschneiden werden, macht es nichts, wenn die Farbe über die Ränder hinausgeht.

②Reapply the color. Since you will cut it later, do not worry if the color slightly exceeds the edges.

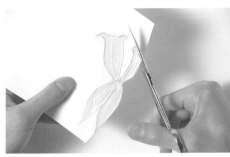

③ Haben Sie das Teil koloriert, schneiden Sie es aus. Schneiden Sie vorsichtig aus, die Tuschelinien müssen vollständig erhalten bleiben.

③After coloring the section, cut it out. Carefully cut it so that the inked lines are not eliminated.

④ Drehen Sie das ausgeschnittene Stück herum und besprühen Sie es mit Entwurfskleber.

④Turn the cut piece over and spray on a design adhesive.

⑤ Kleben Sie es sorgfältig auf die Zeichnung, um diese zu vervollständigen.

⑤ Carefully paste it onto the drawing to complete the illustration.

[10] Farbgebung bei Accessoires

[10] Coloring Accessories

① Legen Sie alles außer den Accessoires farbig an.

①Color all areas except the accessories.

② Tragen Sie die Grundfarbe mit einem metallfarbenen Buntstift oder einem metallischen Marker auf.

②Use a metal marker or metallic colored pencil to apply the base color.

③ Kolorieren Sie die Eckschatten schwarz, um Akzente hinzuzufügen.

③Color the edges of the shadows with black to add accent.

④ Tupfen Sie etwas Weiß auf, um Glanz und Schimmer auszudrücken.

④Dot some white to express shine and luster.

⑤ Fügen Sie mit Weiß noch mehr Licht hinzu, um die Abbildung zu vervollständigen.

⑤Add light with white to complete the illustration.

Fotografiert von Takanobu Taniuchi
Photographed by Takanobu Taniuchi

NACHWORT

Wie war's?

Die technische Seite ist nicht so ausschlaggebend, wie es scheint. Die wichtigste Frage ist, ob Sie sich die Grundlagen angeeignet haben.

Wie wundervoll der Entwurf auch immer sein mag, er ist wertlos, wenn der Designer den menschlichen Körper nicht außergewöhnlich gut darstellen kann. Und neben einer ansprechenden Farbgebung für den Entwurf muß der Designer auch ein wenig über Marker wissen. Auch wenn die Tuscheversion noch so vortrefflich ist, ist man doch häufig unzufrieden, wenn die Zeichnung farbig angelegt ist.

Das Gefühl, Grundlagen auf eigene Art wiedergeben zu wollen, führt zu einzigartigen Techniken, die sich in Linien und Farben niederschlagen. In den Augen eines Dritten mag dies außergewöhnlich erscheinen, das entsprechende Individuum betrachtet es jedoch als normalste Sache der Welt.

Darüberhinaus gibt es Menschen, die gern zeichnen, aber an Grenzen angelangt sind und deshalb nicht so zeichnen können, wie sie wollen. Sie sowie diejenigen, die bisher lediglich auf oberflächlichem Niveau gezeichnet haben, sollten sich erneut den Grundlagen zuwenden. Hier liegt ihre Chance, die schlechten Angewohnheiten zu erkennen, die sie unbewußt angenommen haben. Und zu diesem Zeitpunkt sollte auch der Versuch unternommen werden, der Menschheit mehr Gefühl entgegenzubringen. Je stärker das Verlangen ist, desto mehr Energie wird freigesetzt und das Entstehen eines Kunstwerks wird somit begünstigt.

Jeder Einzelne hat seine Stärken. Es gibt jedoch noch viele Menschen, die sich über ihre Vorzüge nicht im klaren sind. Sie denken vielleicht, daß Sie nicht besonders gut zeichnen können, aber stimmt das wirklich? Nutzen Sie das vorliegende Buch. Wir können Ihnen versichern, daß es als Katalysator für neue Erfahrungen und Ergebnisse dienen wird. Halten Sie nichts für unmöglich, bevor Sie es ausprobiert haben. Gehen Sie Schritt für Schritt vor und versuchen Sie, pro Tag die Übungen zu einer Seite durchzuführen. Ihre Zukunft liegt direkt vor Ihnen.

Zu guter Letzt möchte ich den folgenden Personen herzlichst danken: Nobu Yamada, dem Herausgeber, dessen Ratschläge bei der Veröffentlichung dieses Buches höchst wertvoll waren, Shinju Onuki, dem Designer, der die Entwürfe in diesem Buch erstellte, Takanobu Taniuchi, meinem Freund und Kameramann, der immer bereitwilligst auf meine anscheinend unmöglichen Wünsche einging, sowie Hitomi Takamura.

April 1991   *Zeshu Takamura*

AFTERWORD

How was it?

Technique is not as important as it may seem. The major point is whether you have made the basics yours.

No matter how wonderful the design, it would be of no value if the designer did not excel in drawing the human body. Moreover to color the design attractively, the designer must also know something about markers. Regardless of how excelling the inking is performed, it is frequent that one may be dissatisfied when the coloring is finished.

The feeling to want to express the basics in one's own way gives birth to unique techniques expressed in the lines and colors. This may seem extraordinary from a third person, however, it is the natural flow for that certain individual.

What's more, there are also people who love to draw but have hit a barrier and thus, not being able to draw as intended. Such individuals and those who have only drawn at levels of scribble should return to the basics. This is the chance to realize the bad habits that have unconsciously been acquired. And this is also the time one should try to feel more for mankind. The stronger the desire, the more energy is vitalized, and thus, leading way to birth of a piece of art.

Each individual has their strong points. However, there so many people who have not realized their advantages. You may be thinking that you do not excel in drawing, however, is this really true? Please use this book effectively. We assure you that it will serve as a catalyst to realize something new. Do not think that something is impossible before you try it. Just take each step at a time, and try practicing with a page each day. Your future is just around the corner.

Lastly but not the least I would like to express my deep appreciation to Nobu Yamada, the editor who imparted invaluable advice in publishing this book, Shinju Onuki, the designer who laid out the designs in this book, Takanobu Taniuchi, my friend and cameraman who always happily answered to my seemingly impossible demands, and Hitomi Takamura.

April 1991   *Zeshu Takamura*